JN034512

有斐閣新書

徒然草入門

伊藤博之著

はしがき

『徒然草』が、人びとに広く読まれるようになったのは、すでに近世以来のことであった。それが、近代に入って中等教育での国語科教材の基本テキストとされて以来、学生向けのおびただしい数にのぼる学習参考書とともに普及し、文字通り国民的古典の位置に据えられるに至った。義務教育の中学校段階では少なくとも二段分を、進学率九十数パーセントに達する高校段階では数段を収める国語教科書を通して、誰しもが十段分近くを読了しているのが実情と思われる。

このように、教材古典としての『徒然草』への入門は、すでに教室での授業や自宅での学習参考書の読書を通して済ませているので、今さら入門かと思われる人がいるかもしれない。しかし、本書は、啓蒙のための解説を意図したものでもなければ、筆者の私論を読者に披露するためのものではなく、現代を生きる私たちの直接的な心の糧として『徒然草』が何を語りかけているかを考えようとしたものである。したがって辞書もしくは注釈書を参考にすれば済む訳注については必要の最少限にとどめ、読む行為の裡に胚胎する問題意識を可能な限りにおいて整理しようと試みた。直接とりあげた段は四十段に過ぎないが、つとめて他の段と関連づけて扱い、兼好の批評精神のあり方を探ることを主眼にした。

思えば、中学三年の折、受験勉強のために購入した塚本哲三著『徒然草解釈』を通読したことが、私と『徒然草』とのそもそもの出会いであった。その時「よろづにいみじくとも、色好まざらん男は、いとさうざうしく、玉の卮(さかづき)の当(そこ)なきここちぞすべき」(第三段)といったような文章をまず目にして、兼好法師のイメージが大きく揺らぎ、禁断の園に足を踏み入れるような心のときめきを覚えたものであった。それ以来、人間の「迷ひの心」に関する『徒然草』の言説が、殊さらに脳裏に深く残り、その文体に自らの「惑(まど)ひ」を映し出しては、「妄心迷乱」の心の動きに思いをいたすようになった。私と『徒然草』とのつき合いは、他の諸段についてもそのような形をとるのが常で、研究の対象にしようとは考えなかった。したがって本書をまとめるにあたっても、見知らぬ読者と『徒然草』を共有した上で読みの経験についての会話をかわすような想いで筆を執った。それが読者の『徒然草』への関心を新たにする契機となれば、望外の幸いである。

　執筆に際しては、当然のことながら諸先学の学恩を蒙った。また、本書の企画・構成その他の面で、有斐閣編集部の澤井洋紀氏のお世話になった。そうした人びとの恩恵に心から謝辞を申し述べる次第である。

一九七八年八月

伊藤博之

目次

（各段下の見出しは主題を示す。細字は冒頭部分）

徒然草と兼好

徒然草 上巻

凡例

1　底本として、広く用いられている慶長十八年刊の古活字本（烏丸光広本）を用い、通行の諸書の改訂にしたがって、底本の本文を一部改めた。

2　本文は、読みやすくするため、西尾実校注『方丈記・徒然草』（日本古典文学大系）、安良岡康作『徒然草全注釈』上・下、木藤才蔵校注『徒然草』（新潮日本古典集成）を参考にして、適宜、節を分かち、仮名・漢字の用い方を改め、読みやすい表記法を採り用いた。

3　各段の見出し語は、その段の主題を示す部分をとったので、通行の見出しと異なる。

4　本書の執筆にあたっては、とくに左記の諸書から学恩を受けた。

安良岡康作『徒然草全注釈』上・下（昭42・43、角川書店）
西尾　実『作品研究　つれづれ草』（昭30、学生社）
田辺　爵『徒然草諸註集成』（昭37、右文書院）
三谷栄一・峯村文人編『徒然草解釈大成』（昭41、岩崎書店）
木藤才蔵校注『徒然草』（昭52、新潮社）
『徒然草講座』第一～四巻（昭49、有精堂）

徒然草と兼好

（兼好法師画像，土佐光成筆，三重県常楽寺蔵）

1　徒然草の読み方

『徒然草』第九十六段につぎのような文章がある。

めなもみといふ草あり。くちばみ（まむし）にさされたる人、かの草をもみて付けぬれば、すなはち癒ゆとなん。見知りて置くべし。

こうした文章に接する時、人はそこに何を読みとろうとするだろうか。新聞のコラム欄担当記者でなくとも、この文体のリズムに載せてパロディを手がけたとするなら、何が書けるだろうかという関心を強く呼びさまさないではおかないような文章であることは確かである。それほどまでに文体にそなわった語調のリズムが見事であり、叙述のスタイルが完璧なのである。こうした文体の創出は、単に蛇の毒を消す薬草の知識を記して、世人に益そうとするような現実的な動機だけではまず不可能である。そこには、筆者の文体創出へのなみなみならぬ関心が働いていたことは確かである。「めなもみ」「くちばみ」「もみて」という語感がよびおこす文体のリズムが、「いゆ」という語に収束される見事さは、決して偶然の結果とは言えない。兼好をしてこうした短文を書くに至らしめた動機をもし臆測するとしたら、「蛇の毒を消すのによくきく『めなもみ』という薬草があることを知り、いわば発見の喜びをもってノートしたところ」（『徒然草講座』第二巻）にあったと考えるよりは、「めなもみ」という草の名を生かした文体を創出しようとした試みにあったと考える方があたっているのではなかろうか。その結果、みの音感、さらにいうならばｉの母韻を効果的に生かした文体を創出し得た自足感から「見知りて置くべし」の一文が加えられたと考えられる。

この一文については「備忘のため」（佐々木八郎『徒然草の味わい方』）に書かれたとする説や「十分に読者を意識し、読者に話しかけている態度が認められる」（安良岡康作『全注釈』）と理解する説が行なわれているが、薬用植物についての叙述を本旨とするなら話材の選択に疑問が残るのである。このように作品『徒然草』の魅力の主要な側面はその文体の完成度にあるのであって、その内容は文章の叙述様式のあり方ときり離して論じ得ないものがある。

『徒然草』が近世に入ってひろく読まれるようになると、その文体のパロディが多くの作家によって試みられ、「〇〇徒然草」と題する作品が創られるようになり、また、その文体をもじった多くの戯文が書かれたのは、その文体の魅力が挑発した副産物と言える。それほど『徒然草』の文章様式は、言葉を基盤とした自立的な表現世界を構築し得ているのである。したがって『徒然草』を鑑賞するにあたっては、そのしたたかな存在性としての文体に注目する必要がある。鑑賞上の問題点はそこから出発し、そこに帰るのでなければ、徒らに多岐亡羊の恨みを残す結果に陥らざるを得ない。かような解釈は既に近世においても繰り返されていたことでもあった。

再び、前引の文章をめぐる問題にたちかえるとすると、古注の主流はこの段の記述を教訓の一例と解する立場から、その主題を普遍化しようとしたのに対し、近代の注は、記述内容からその時代の薬餌知識の水準を推量する材料とするか、まむしの害を問題にする必要があった時代の状況を知る情報の一例とするか、作者兼好の医療への関心度を知る例話と考えることで意義づけようとしている。しかし、新注の立場も古注の立場も、この文章から、直接には書かれていない教訓性とか時代性とか作者の人間性とかを解読しようとする立場では共通する。たしかに医薬と言えば薬草が主体であった時代の状況がなければ、このような文章は書かれないのが当然であり、また作者の関心が医療にあったということが書く行為の動機づけに働いたと考えるのが自然であるが、私にはこの一文が薬草の知識を提供するために書かれた文章であるとは考えられないのである。もしあえていうなら小林秀雄の口吻を真似て「鈍刀を使って彫られた名作」(『無常という事』)と見るのが最もまともな接し方であると考える。もしかりに情報の内容を問題にするなら、「めなもみ」と考えられた薬草をつきとめ、まむしの毒を消す効果が実際にあるかどうか、ためした上でなければ情報の当否を批判することはできないし、またかりに薬法を秘事にしたがる人を戒めるためにあえて秘事を公開したと考えるとなると、余りに事柄が特殊にすぎるように思われる。こうして『徒然草』には、何を目的にして書いた文章であるか、一読しただけではぐらかされてしまうような文章が間々介在し、全篇を書かれてある順序通りに読む者をして困惑させることが多い。しかし、情報内容の当否や教訓性の内容をひとまずさしおいても、読者の心に響くものがあるのは、表現構成そのものに内在する一種の力によるものである。そうした文体の魅力が、薬用植物についての断片的知識の叙述にすぎないような文章を、謎を含んだ存在にまで高めているのである。そうした文体に魅せられた読者は、どうしても謎にむかって問いかけないではいられなくなってしまうのが常である。その時、文章は書かれている言葉の輪郭以外の事を何一つ答えてはくれないのであるが、投ぜられた謎の一石は読者の心に波紋を確実にひろげてゆき、明確な輪郭をもって語られた小部分が、かえって語られなかった大部分の表現であるかのように見えてくる。『徒然草』についての諸注大成が今後とも増補され続けるであろうと予想されるのは、そうした理由にもとづくのである。

たしかに作品の読み方は他人の鑑賞にしばられる必要はなく、また十人十色の読み方が認められてしかるべきものでもある。しかし、他人の言説に耳を傾けるということは、主体的な読みとりを制約されることではなく、自らの読みとりと重ねあわせたり、批判的にわたり合うことで読み方をきたえ深める契機となるものである。その時、諸説の併記に終るような理解はまず考えられない。例えば前記の段に対して「これは、蛇の毒を消すのによくきく『めなもみ』という薬草があることを聞き知り、いわば発見の喜びをもってノートしたところである」という解説や「この段は、珍しく、蛇毒をなおす薬用植物についての叙述である」といった解説を聞いたとする。しかし、こうした解説では緊密な文体構成を支えている論理に迫ることができないのではなかろうかという疑問がどうしても残ってしまうのである。そこで「めなもみ」と名づけられている薬草をめぐる叙述構成を再検討してみると、「めなもみといふ草あり。くちばみにさされたる人、かの草をもみて付けぬれば、すなはち癒ゆとなん」の叙述と「見知りて置くべし」の一文とが、異質のリズムを伴って対峙するような構成をとっていることに気付かされる。そこから、この二つの部分の対峙が、どのような構成原理との対応で導き出されたものであろうかといった問題が糸口となって、文体をめぐる読者の思考が展開する。その時、「癒ゆとなん」という文末の助詞と「置くべし」という文末の助動詞の働きが重要な含みを帯びて読み手に迫ってくることを知る。このことは正徹本の本文「即ち癒ゆ。取りて置くべし」と比較してみる時、一層はっきりする。つまり、前半の文は伝聞の知識の確認であるのに対し、後半は「実際に見て覚えておく」といった実践の試みへの態度決定を表明した部分である。この文章の構成は、単なる書きすさびとは言えないのであって、「見知りて置くべし」の一文は必要不可欠な批評部分として書かれているのである。それは「読者に話しかける態度」の表明を第一義とするものでもなければ、まして「自分への心得のため」に加えられた言葉ではない。いつどこで必要になるか全く予測できない突発的な事態に対処するための知識は、単に聞き知っているというだけでは何の役にも立たない。兼好は「めなもみ」という薬草についての知識を一つの契機として、「知」のあり方をめぐる批評意識に言葉の輪郭を与える試みを行なったのであって、備忘や啓蒙が動機づけとなった文ではないと考える。一語の無駄もない緊密な文体構成を実現し得た原動力は、そうした「知」のあり方に向けられた批評精神にあったのである。このようなさりげない一文においても理論的知と実践的知とのかかわりを正しくとらえた批評精神のあり方が表明されているのであって、そうした文体構成への配慮を欠いた読み方をしたのでは、『徒然草』文学の表現性に即した理解はできないのではなかろうか。

2　段落の断続にみる面白さ

『徒然草』の各段は、一応それぞれ独立した主題のもとに試みられた文章ではあるが、相互の関連もまた重要な意味をはらんでいる。そうした関連を読みとることを最初に力説したのは加藤盤斎であって、盤斎は、それぞれの各段は「上段より心をうけて、みなかけりとしるべし」と主張し、「来意」説を唱えた。そして段落の構成法を同類（「上におなじ」）・継続（「引つづき也」）・添加（「上の段の余論也」）・止揚（「上段を結段也」）・発展（「上をうけたる段なり」）・証明（「上段のせうこにいだしたり」）・説明（「(上段の) 義をあかしたる也」）・対照（「上段のうら也」）の八種に考えた（西尾実『つれづれ草文学の世界』）。

来意説の当否を考えるまでもなく、『徒然草』を逐段に読む場合は、前に読んだ主題との照応に関心が向いてしまうのが自然である。第九十六段の前の九十五段は、

「箱のくりかたに緒を付くる事、いづかたに付け侍るべきぞ」と、ある有職(いうそく)の人に尋ね申し侍りしかば、「軸（箱の左の方）に付け、表紙（箱の右の方）に付くる事、両説なれば、いづれも難なし。文の箱は、多くは右に付く。手箱には軸に付くるも常の事なり」とおほせられき。

といった有職についての記述である。箱の身の部分についた環に通した緒を箱の左の方で結ぶのが正しいか、右の方で結ぶのがよいかをめぐる一見どうでもよいような些事に関する知識を記述

しているわけであるが、私には生活文化の知識の断片がこのように並記されている事自体に深い興味をそそられる。そこには知識の質に関する遠近法の感覚が見事に読みとれるのである。医療に関する知識は、些事に見えるようなことも大事にし、箱の緒の結び方については、かたくなにそれぞれの自説に固執する立場を斥ける。当時の公卿社会で最も大切にされた有職に関して「両説なれば、いづれも難なし」とする有職家の意見に深い共感を示すのは、有職趣味からする関心の表明ではなく、有職そのものが成立する根本構造への問いかけに裏うちされていたと考える。そうした知識論の延長線上で薬草の知識がとりあげられたとするなら、採りあげること自体に批評的立場が表明されているのである。有職のための有職、知識のための知識、学問のための学問にとらわれ、いたずらに立場の違いに固執して本来的な意味を見失うか、知識を権威化し、その権威のなかに生きることによって生活世界との生きたかかわりを無視しがちな知識人の逆立ちした知識観に対する批評精神が、他人の言をそのまま記録したように見える文章構成のなかに読みとれるのである。兼好は有職といえども日常生活の実践過程を通して形成されてきた生活文化に過ぎないと見きわめていたのであって、有職が権威視されたり絶対化されたりする風潮に強い問題意識を感じとっていたと思われる。そうした有職に対し、まさに生活文化そのものといえる医薬の知識を対照し、しかも学問的な知としてでなく、「見知る」という実践的な認識を強調する文章を含む段を次に配置する構想には、かけがえのない命を生き、日々の必要をみたしながら生きている生活者の立場を見据える、とぎすまされた批評精神がかいまみられるのである。

こうした批評精神を、批評のスタイルで試みたのが、つぎに続く第九十七段なのである。

その物につきて、その物を費しそこなふ物、数を知らずあり。身に虱あり。家に鼠あり。国に賊あり。小人に財あり。君子に仁義あり。僧に法あり。

『徒然草』という作品は、以上のようにほんの一部を例にとって考えてみても、文体の構成そのものが問いかけてくる問題が余りに多い。そうした自立的な表現世界を構築するしたたかな文体に立ち向かおうとすると、人はどうしても已れの理解方式に従って文体を受け容れないわけにはいかなくなる。江戸時代の注釈者が、あるいは儒教倫理にのっとった教訓性を読みとったり、仏教思想にもとづいて「徒然草一部の趣向は天台摩訶止観をやはらげてかける也」といったように仏道の教戒をよみ込むことが可能であったのは、『徒然草』の文体が想像的空間に向かって開かれたものであるからである。そして今もって、その主題をどう把握するかという問題になると、その結論は帰一するところを知らないのが実情である。小林秀雄が適切に評したように「徒然草という文章を、遠近法を誤らずに眺めるのは、思いの外の難事」（『無常という事』）なのである。

3　道の思想と批評精神

兼好の批評精神は、存在の様相を見きわめる視線として働いている。社会的存在形態が強いる非本来的な生のあり方から身をふりほどき、死をもって限られた時間を生きる命を楽しもうとした時、兼好は生にとって本来的なものは何かという批評を日常不断に実践化する必要に迫られた。それが兼好の「道」であったのである。〝今〟〝此処（ここ）〟という固有時を生きるかけがえのない生命の充足感を確かなものにするためには、あらゆる先入見や既成の観念にとらわれた地平を脱却しなくてはならない。兼好は、人間が逆立ちした幻想のとりこになって生き続けるであろうことをなかば絶望的な思いで、つぎのように述べている。

とこしなへに違順（逆境と順境）につかはるることは、ひとへに苦楽のためなり。楽といふは、このみ愛することなり。これを求むること止む時なし。楽欲（げうよく）する所、一つには名なり。名に二種あり。行跡（かうせき）と才芸との誉れなり。二つには色欲、三つには味はひなり。よろづの願ひ、この三つにはしかず。これ顛倒の想よりおこりて、若干（そこばく）のわづらひあり。求めざらんにはしかじ。（二百四十二段）

この文章は、『徒然草』本文部分の結びの位置におかれたものである。権威と名誉と快楽を至上のものと考え、権威の秩序のうちに自らの位地を幻想し、生きるための必要の限度を超えた快楽幻想にのめりこんで身を苦しめる生のあり方を、兼好は「顛倒の想」として基本的に否定する。そうした「顛倒の想」からのがれ、本来的な自由を生きるために、兼好は「諸縁放下（ほうげ）」を力説する。諸縁を放下するためには、まず諸縁の世界を見きわめねばならない。『徒然草』全段の主題を最も抽象化したレベルでとらえるとするなら、「物にとらわれ、既成の見方に拘束された世界、いいかえれば諸縁にしばられた世界」（桜井好朗「卜部兼好」『日本思想の名著12選』所収）に言葉の枠組を与えることで対象化してみせる試みであったと言える。

時の運・不運も、権威や名誉も、権力や財力も、人徳や才能も、君の寵や奴僕の忠誠心も、そうしたすべてを非本来的なものとして放下し、幻想に曇らされることのないまなざしで「まぎるるかたなく、ただひとりある」個の命を見つめた時、「存命の喜び」を生き、「しばらくの命」を楽しむことこそが、命の本然の姿を生きる道であると兼好はとらえた。兼好のいう「道」とは、本来的な生を生きること自体を意味し、それはまた「ただここもとを正しくす」ることでもあった。道を知り、「道を楽しぶ」ということは、人間の弱さや「愛著(あいちゃく)の道」のてごわさを深く知り、つとめて「縁を離れて身を閑(しつ)かに」することをつとめることであった。「閑かなる暇」を得て、「人の力争ふべからざる事の道理を見ぬき、道理に従ひ、物に即して生きることによって得られる心のやすらぎを何よりも大切にする生き方、「暫くの命」を心からいとおしみ愛する生き方を可能にする心構えをもし処世訓とよぶなら、『徒然草』の大部分の章段は、そうした処世の方法を言葉によって試みたものと言えるのである。

4　兼好の生涯とその時代

兼好の出自である卜部(うらべ)家は、平安時代のはじめに神祇官に仕えた官人の流れで、十世紀の中頃から平野神社・吉田神社の神主をつとめるようになってから、朝廷の祭祀と深くかかわるようになった家柄であった。兼好の家系は、兼好が有名になってから『吉田家譜』に書きこまれたと考えられるほどの庶流で、祖父の代にその活動の舞台を東国に求めたこともあった。しかし、父兼顕は京都にもどって後宇多天皇に仕えて神事をつとめる宮主の職にあったと推定されている（鎌田元雄「兼好をとりまく人々」『徒然草講座』第一巻所収）。

兼好はそのような神祇の家に生まれながら家職を離れて堀川家の家司をつとめていたが、堀川具守の娘基子が後宇多天皇との間に儲けた皇子の即位を見るにいたって、後二条天皇の蔵人となり、六年を経たのち兵衛佐に任ぜられたらしい（風巻景次郎『西行と兼好』）。しかし、後二条天皇の没後まもなく職を辞し、三十歳前後に出家し、横川に隠棲した。このように二十歳代の青年期に宮廷体験をもったことは、兼好に王朝文学の「みやび」の感覚を植えつけることになった。

『徒然草』第三十三段までの内容が、王朝の美意識の枠組を前提に、非生活的な「もののあはれ」の世界をみやび言葉がつくりだす想像的空間に定位するように書かれたのは、喪われようとする青春への追懐をモチーフとする文章群であったからだと考えられる。

出家後の兼好は、主として横川や修学院に籠って仏道を修めたが、その間、金沢（横浜市金沢区）の称名寺をたずねたり、鎌倉に住む武家歌人と雅交を重ねたりしている。『徒然草』のなかに、時頼・宣時・松下禅尼・泰盛に関する話題が記され、鰹やへなたりをめぐる話や大晦日に行なわれる玉祭りの習俗にふれているのは、少なくとも二度行なわれたと考えられる関東下向の際の見聞にもとづく文章であったのである。

四十歳以降は居を京都の市中に移し、市隠の生活を歌や書の技能をもって支えたようである。四十一歳の折、為世より『古今和歌集』の家説を受講し、二条派の主だった歌人として認められ、「頓阿・慶運・浄弁・兼好などそのころ四天王といはれし名人」(『正徹物語』)と評されるようになり、親王家の歌会や歌合に参加し、二条家に所縁の歌友と歌の贈答をしている。こうした生活をすごしていた四十代の末、年号でいうと元徳二年(一三三〇)から元弘元年(一三三一)にかけての頃に『徒然草』を執筆したと考えられている。

兼好が京都の市中生活をおくった四十代の十年間は、あらゆる面で反目と抗争が表面化した時代であった。政治社会では、大覚寺統と持明院統の対立が、後宇多院の崩御(持明院統)、皇太子邦良親王(大覚寺統)の薨去などの事があって後、大覚寺統の内部での後二条天皇派閥と後醍醐天皇派閥との反目が加わって複雑な様相を呈するに至った。そして持明院統の量仁(かずひと)親王(光厳天皇)の立太子が決まると両統の抗争は険悪化の度を深め、さらに後醍醐天皇の反幕活動が表面化するに及んで、京都勢力と北条政権との正面きった衝突がさけられない情勢となっていった。さらに京都の町や大寺院にも、関東出身の者が立ちまじり、京鎌倉間の交流が盛んになるにつれ、文化や習俗の違いが文化的な対立意識を生むようになった。また文化の面でも歌道界が世俗勢力の対立と結びついて、京極派・二条派の対抗を生み、有職家や儒学家の間にも新旧の考え方の違いが顕在化し、時代一般が分裂・抗争の様相を深くしつつあった。こうした時代状況に身を置きながら、派閥勢力とのかかわりを遠ざけ、「縁を離れて身を閑(しつ)かにし、事にあづからずして心を安く」する生き方を己れに確保するためには、利害にまどわされない覚悟と派閥的情念が生みだす狂気におちいらない批判精神が要求された。『徒然草』を書くにあたって兼好がまず念頭にしたことは、そうした時代情況に内在する対立を超え出た精神の秩序を言葉の秩序によって対象化することであったと想像される。

四十をもって初老とし、五十をもって老年とする考え方に従えば、五十という人生の節目は、人生の盛りが確実に遠ざかってしまったことを強く意識させられる年である。想い出として残る青春の残像に、王朝古典の修辞による完璧な形式を付与して、自らの生のドキュメントとし、一方では、「老」を自らに受け容れるために、心の拠り所としての文章を試み、生涯の折返し点を設定する最善の方法は『徒然草』のような作品を試みることである。時代の風雲が急を告げ、自らの人生も一つの節目を迎えようとしている時期に、兼好が『徒然草』のような作品を書き残したことは、自然な行為として理解できるのである。人生の盛りをすごし「命を終ふる大事」を目前にした作者が、自らの青春に決算を与え、老年の成熟を自らの生の課題としようとした時、青春の記念碑と老年の企てとを言語の世界に試みたことの結実が『徒然草』であったと考える。

五十代の兼好は、建武の新政を祝って行なわれた内裏での千首和歌の詠進にこたえて祝意をこめた歌を奉ったりしたが、わずか三年で新政がくつがえり、後醍醐天皇は吉野に脱出し、光明天皇が即位して南北朝の時代が始まると、大覚寺統と親しかった二条派歌人として困難な時代を迎えることになった。しかし、そうした動乱期にあっても、兼好は『源氏物語』を始めとする古典の書写に心をうちこんですごしたようであった。しかし、京都の秩序が回復してくると兼好は武家と接近するようになり、康永三年（一三四四）には、足利直義の勧めに応じて「なむさかふつせむしむさり」（「南無釈迦仏全身舎利」）の各字を冠に置いた奉納歌の歌人に、頓阿・慶運・浄弁などと共に加わり、洞院公賢の日記『園太暦』によれば、有職家として足利幕府の要人高師直に近づいたりしていたことが知られる。また二条良基の『近来風体抄』の記事によれば、六十歳なかばの兼好は、二条為定を中心にした毎月三度の月並百首の会に、頓阿・慶運とともに定衆として毎回参加していたらしい。

兼好の没年に関しては、これまで『大日本史料』に引くところの「法金剛院之過去帳」の記載によって観応元年（一三五〇）四月八日、六十八歳で没したものと信ぜられてきたが、近年発見された新資料によって、少なくとも観応三年八月以後と推定されるに至った。その終焉の地は京都もしくはその近郊の地と考えられ、年齢も七十前後と推定されている。

〔補説〕**つれづれ読**（よみ） 歴代の代表的俳人の略伝・俳風・逸事を叙した『歴代滑稽伝』（許六著）の支考の項に、「支考は、作あるものは尽きるとまぎらかし、つひに已が作意は尽きて、つれづれ読と変ず」とある。支考は、句作に行きづまった結果、ついに『徒然草』の講釈家になってしまったというのである。その「つれづれ読」支考は、正徳元年（一七一一）に『つれづれの讃』を世に問い、野航・右範宛書簡によれば、自著を「北国筋にて八十部払い申し候。越後は金子（きんす）いまだ参らず候。ただ今百部摺りかかり候ところ、尤あがり値半金は相渡候間、金の事殊の外いそがしく候。その筋の金子は十月時分と、皆々御心得頼み入り候」といった具合に、自ら出版元となって販売している。こうして文考は、『徒然草』の講釈と出版をもって、自らの生活の資としたようである。

このような『徒然草』の講釈は、松永貞徳の『なぐさみ草』によれば、慶長頃から行われたらしい。貞徳は、その跋文で『徒然草』について「天正の頃までは、名を知る人も稀なりしが、慶長の時分より世にもてあつかふ事となれり」と証言している。貞徳は、新しい時代を考えるための教材として、「儒学・医学の若き人々」と一緒に、中院通勝に『徒然草』の講釈を受けたのである。それまで古典学と言えば、『古今集』『伊勢物語』『源氏物語』が主な対象で、しかも注釈が秘伝扱いにされていたのに対し、新しい儒学思想の興隆にともなって、新しい古典『徒然草』が儒・釈(仏教)・道(老荘思想)の三つを兼備した思想書とみなされるにいたった。通勝の教えを受けた貞徳もまた、周囲の人にせがまれるままに『徒然草』講釈を行った。そうした伝統が、近世初期の多くの『徒然草』注釈書に結実したのである。

徒然草

上巻

(奈良絵本徒然草，第41段賀茂の競馬の図，名古屋市立蓬左文庫蔵)

序段　つれづれなるままに

つれづれなるままに、[1]日ぐらし、硯(すずり)にむかひて、心にうつりゆく[2]よしなし事を、[3]そこはかとなく書きつくれば、あやしうこそものぐるほしけれ。

1 一日中。　2 とりとめないこと。　3 何ということもなく。

つれづれなるままに　「つれづれ」の語義については、これまで幾多の議論が重ねられてきたが、言葉の輪郭は「これといってすることもなく、気のまぎれることのないさま」と解しておけばよい。しかし、それが「書く」という行為の動機として語られたとすると、別の問題を投げかけてくるのである。もちろん、このような物言いは、それほど珍しいものではない。『徒然草』が、それにならって書かれたと考えられる『枕草子』のあと書きにも「この草子、目に見え、心に思ふ事を、人やは見んとする（まさか他の人が見ようとするだろうか）と思ひて、つれづれなる里居のほどに、書き集めたるを」とあるように、書いた文章が自分自身のためのものでしかないということ、または公表を予想し、目的があって書かれた文章でないことを語る時のスタイルでもあった。しかし、この一切の饒舌や気取りをそぎ落した緊密な文体は、序文というよりは、「書く」行為のうちに「道を楽しぶ」心を見出した作者の自己確認の試みを感じさせるのである。

先入見からの離脱　「つれづれなるままに」書くことは、「つれづれわぶる（これといってすることのない所在なさをもてあます）」（七十五段）ままに書くこととは明らかに違う。「つれづれ」だから書いたというよりは、「道」（ことわり）を見定めるために用意した時間をさりげなく「つれづれ」と呼んだのである。歌道のための文章でもなければ、仏道のためのものでもない文章、あえていうなら「道」を楽しむ試みとしての文章を書くためには、どうしても「つれづれなる」時間が用意されねばならなかった。そうでなければ「惑の上に酔」「酔の中に夢をなす」（七十五段）妄心のままに言葉を飾るか、利害得失による自己主張の言葉に終らざるを得ないことを兼好は深く自覚していたのである。「つれづれなる」心とは、あらゆる先入見を離れ去った仮構の拠点をいうのであって、単にものさびしいやりきれない心情を語った言葉ではない。『徒然草』は、そうした「つれづれなる」心を仮構することによって書かれた書であるという意味でつけられた名であったのではなかろうか。

「あるじなき」心　「つれづれなるままに、日ぐらし、硯にむかふ」生活は、単なる清閑の心境と結びつくはずがない。「日ぐらし」の言葉には、「書く」行為を支える意志力を思わせる響きがともなう。しかも「つれづれなる」心に「来りうかぶ」「よしなし事」が政道から色欲に及ぶ範囲のものであるとするなら、この序段の内容は、第二百三十五段と重なるようである。

> ぬしある家には、すずろなる人（何の関係もない人）、心のままに入り来る事なし。あるじなき所には、道行き人みだりに立ち入り、狐・ふくろふやうの物も、人げに塞かれねば（人の気配に邪魔されないので）、所得がほ（わが物顔）に入りすみ、こだま（樹木の精霊）などいふ、けしからぬかたちもあらはるるものなり。

「われらが心に念々の（いろいろの思いが）ほしきままに来り浮ぶ」（同段）想念の輪郭を見つめ、それを言葉に封じこめようとすることは、それによって脅かされようとする不安から身を守る方途として機能したに違いない。「つれづれなるままに」「書きつく」という目的なき行為が成り立つ根拠には、「狐・ふくろふやうの」風説（当世風にいうなら情報）や「所得がほに入り」すむ「けしからぬ」妄想に惑わされ、「惑の上に酔」「酔の中に夢をなす」惑乱から遁れようとする意志が働いていたのである。

醒めた心に映る狂気

凡愚の生の内実は、もしその人が正直な現実感覚の所有者であるなら、兼好がふれているように狐狸のすみかとしか言いようがない。人は、もろもろの建前や権威をかりて狂気を馴致すればこそ、他者と折れあって生活を営むことが可能となっているに過ぎない。すぐれた現実感覚の持主であった兼好は、そうした狂気の様相をさりげない筆致にのせて暗示的にしるしとどめた。この段では「つれづれ」の語義と「あやしうこそものぐるほしけれ」の解釈をめぐって論義が重ねられてきたが、少なくとも書く行為をめぐっての評言であることにはかわりがない。書かれたものが気違いじみて感じられるのか、書くことに熱中し没頭してゆく心を自ら「あやしうこそものぐるほしけれ」と評したのかといった問題よりも、生きる力となっている狂気を言葉によって対象化しようとする試みが、書こうとする狂気に支えられる他ないという解決不能な循環論を自覚化させたところに発せられた言葉だったのではなかろうか。そう解すると、『徒然草』の首尾は実に巧みな照応をもって配置された章段と言えるのである。

第一段　願はしかるべき事

いでや、この世に生(うま)れては、願(ねが)はしかるべき事こそ多(おほ)かめれ。

御門(みかど)の御位はいともかしこし。[1]竹の園生(そのふ)の末葉(すゑば)まで、人間の種ならぬぞやんごとなき。[2]一(いち)の人の御有様はさらなり、[3]ただ人(びと)も、[4]舎人(とねり)など給はるきははゆゆしと見ゆ。その子・孫(うまご)までは、[5]はふれにたれど、なほなまめかし。それより下(しも)つかたは、ほどにつけつつ、時にあひ、したり顔(がほ)なるも、みづからはいみじと思ふらめど、いとくちをし。

1天皇の御子孫。　2摂政・関白。　3摂関以外の普通の貴族。　4勅宣によって賜わる近衛府の随身。　5おちぶれてしまっていても。

法師ばかり羨(うらや)ましからぬものはあらじ。「人には木の端(はし)のやうに思はるるよ」と清少納言が書(か)けるも、げに[1]さることぞかし。いきほひまうに、[2]ののしりたるにつけて、いみじとは見(み)えず。増賀(そうが)ひじりのいひけんやうに、[3]名聞(みやうもん)ぐるしく、仏の御をしへに違(たが)ふらんとぞおぼゆる。[4]ひたふるの世すて人は、なかなかあらまほしきかたもありなん。

1もっともなことだ。　2世評が高い。　3見苦しいほどに名誉に執着して。　4いちずな。

人は、かたち・ありさまのすぐれたらんこそ、あらまほしかるべけれ。物うちいひたる、聞きにくからず、[1]愛敬ありて、言葉おほからぬこそ、飽かず向はまほしけれ。[2]めでたしと見る人の、[3]心おとりせらるる本性みえんこそ口をしかるべけれ。しな・かたちこそ生れつきたらめ、心はなどか、賢きより賢きにも移さば移らざらん。かたち・心ざまよき人も、[4]才なく成りぬれば、しなくだり、顔憎さげなる人にも立ちまじりて、[5]かけずけおさるるこそ、本意なきわざなれ。

ありたき事は、[6]まことしき文の道、[7]作文、和歌、管絃の道。また、[8]有職に[9]公事の方、人の鏡ならんこそいみじかるべけれ。手など拙からず走りがき、声をかしくて拍子とり、[10]いたましうするものから、下戸ならぬこそ、をのこはよけれ。

1人に対して思いやりのある優しい言語や動作。　2立派だと見受ける人。　3幻滅を感じさせられるような性根。　4学問的な教養。　5たわいもなく圧倒される。　6国を治め身を修めるための本格的な学問。　7漢詩を作ること。　8朝廷の官職・制度などについての知識。　9朝廷の儀式や政務。　10酒をすすめられて困ったような様子をする。

与えられた生　序段で「つれづれなる」心のあり方を問題にしたが、この第一段の「いでや」(さて)という書き出しには、自分がそこへ投げ出されてしまっている現実を見つめないわけにはいかないといった開き直ったもの言いが感じ取れる。何かについて書こうとする気負いや何かを主張しようとする目的意識をつとめて消し去ったあとにも、なお残る心の動きのとどめ難さを語ってみようとする身構えが、「いでや」の発語に示されている。『徒然草』を論じる大方の人は、この「いでや」の言葉に導かれる「この世に生れては」(生れたからには)の意味するところに注意しないようであるが、第四段の「後の世の事心にわすれず、仏の道うとからぬ、こころにくし」といった言葉などを参照すると、ここにも「この世」のほかの視点を仮構する発想が見てとれる。理由も原因も目的もわからないままに「この世」に生を与えられてしまった人間の立場に素直に降り立ってみると、つねに何物かを願い続け、生きていることを望んで止まない人間の姿がまず目にとまらざるを得ない。兼好が人間の願望の数々をとりあげたのはそうした視点からであった。

高貴さということ　「つれづれなる」心に浮かんでは消えてゆくとりとめない想いのなかには、いかがわしく生臭い面影もあったに違いない。愛欲の道にかかずらって生きる人間の姿を「ただかの惑ひのひとつ止めがたきのみぞ、老いたるも若きも、智あるも愚かなるも、かはる所なしとみゆる」(九段)と記した現実意識の持主であった兼好ではあるが、まず第一にとりあげた問題は、高貴なものを感じとり、高貴さを願う心をひめた人間の心の姿であった。第二節の内容要約は、これまでは社会的な地位についての願望を語ったものとされてきたが、私は現実社会での門地を問題にした段ではないと考える。兼好にとって「御門の御位」「竹の園生の末葉」「一の人の御有様」「舎人など給はるきは」は、身分秩序を問題にした言葉ではなく、「かしこし」「やんごとなき」「ゆゆし」「なまめかし」といった美意識の対象であるに過ぎない。沼波瓊音がこの部分について「位置とか内容についての賛美ではなく、月花を賞め仰ぐと同じ態度であるのが面白い」(『徒然草講話』)と述べているように、ここで主題となっていることは、高貴さに対する感受性の表現であって位置とか内容についての賛美ではありえない。そのためには、対象が比較を絶した地位でなければならなかった。

貴族の世俗化　そもそも人間における貴さの感覚とは、地位に向けられるべきものではなくて、比較を絶した存在感覚でなければならない。それなのに世俗の現実は、貴賤賢愚・老若男女といったもろもろの差別観を根拠として秩序が形成されているので、そうした社会制度の枠組みが強いる自己意識は、どうしても他との優劣の比較による価値観におち入らざるを得ない。本来貴族の貴たるゆえんは、能力や資質の差にあったのでなく、比較を絶した貴種の血にあった。それを貴族社会の地位が、人間の相対的な能力の優劣に基づいて決められるようになると、貴を基準とした秩序は当然に崩壊の道をたどることになり、貴族社会は世俗化の様相を濃くするに至る。兼好の生きた時代は、まさにそうした時代であった。後醍醐天皇は、門地にとらわれないで人材を登用したので、下級貴族も異例の昇進をとげて人目をひくような地位をしめるにいたった。兼好はそうした時代の成り上がり貴族の「したり顔」(得意顔)を「自分では偉いものだと思っているのだろうが、はたから見ればまことにいやな感じだ」と批評する。

世俗化した僧侶　貴族社会に生れた者は、その家柄に応じた官職につくか、その余地がない場合は寺に入って僧位を得るかする他なかった。兼好自身も平安朝以来の神祇官の家に生れ、堀川家の家司(けいし)として仕え、その縁で後二条帝に出仕し、兄弟の一人は北朝の宮主(みやじ)(天皇のトに奉仕する神官)として宮廷に仕え、もう一人は真言僧で阿闍梨となっている。ところが兼好は中年にして官職をしりぞき、社会的な位地を持たない遁世者の境涯を選び、いささかの田地からの収入で自由人の生活をすごすようになった。そうした立場から、階級的に縁の深い僧侶をとり上げ、「僧侶くらい、うらやましくないものはない。『人には木の端くれのように取るに足りない者と思われることよ』と清少納言が書いているのも、いかにももっともなことだ」とのべた。こうした批評の対象にされた法師とは、「山法師」(比叡山の僧徒)「寺法師」(三井寺の僧徒)と呼ばれ、世俗的な権勢を争って闘争を繰り返した僧兵達や僧位・僧官を求めてしのぎをけずる世俗化した寺僧を意味していたと思われる。しかも、後醍醐天皇の周辺には、数多くの僧が出入し、権勢をほしいままにする者も出現するに至った。こうした僧侶は、出家の理想に照らして、仏の教えと無縁な者という他ない。ここでも兼好は、心に映る現実の法師の姿を、「願はしかるべき」出家像に照らして「いみじ(立派な姿)とは見えず」とか「仏の御をしへに違ふらんとぞおぼゆる」としるしただけで、願望の対象としての僧侶の地位を論じたとは思えない。

理想の世捨人　増賀聖とは、『法華験記』に「遁世隠居を其の志とするのみ」と伝えられて以来、『今昔物語』『発心集』『選集抄』『宇治拾遺物語』などに、徹底して名聞をきらった理想の遁世聖として記しとどめられた人物像を意味している。そうした伝承の一つに、師の慈恵僧正が天台座主に就任した際の参賀の行列に加わった増賀の気狂いじみた言動に関する有名な話があった。『発心集』に伝えられた話によれば、乾鮭を太刀に佩き、やせ女(め)牛に乗った増賀は、自らその行列の先頭に立ち、「名聞こそくるしかりけれ。かたゐ（乞食）のみぞ楽しかり」と歌って、その列から離れたという逸話がある。さらに、玄賓僧都という、ひたすら名聞をさけた遁世聖の伝承も広く知られ、乞食に身をやつしたいちずな世捨人の話が『撰集抄』や『発心集』によって伝えられている。兼好はそうした遁世者像に脱俗の理想（「あらまほしきかた」）を感じとっていたようである。しかし、説話の世捨人のほとんどは往生を願うがための遁世であったが、兼好の遁世の理想からは、願生浄土（往生）の主題は消え、「あるかなきかに門さしこめて、待つことなく明かし暮したる」（五段）生活の味わいを楽しむことが主題とされた。

望ましい人・好ましい人　願わしい生きざまに対し、後半では望ましい人柄についての思いをしるしている。ここに書かれていることも「願望論」というよりは、「飽かず向はまほし」（いつまでも対座していたい）と思わせられるような「めでたしと見る」人の条件を語ってみせただけの文章のように思われる。容貌や風采のすぐれた人を見た時に、心が惹きつけられる自らの想いを、これまた月花を賞め仰ぐのと同じ態度でめで楽しむ心を「あらまほし」と述べたのであって、あえていうなら社交の場における望ましい心の資質にふれたのが第四節である。

心くばりの賢明さ　人の目に映る自分の姿をあらかじめ明察できる人は、人をあざむくためではなく、人と人との関係を生かすため望ましい心用意があるはずである。兼好はそうした条件の第一に「何かちょっと物を言っても、素直な話しぶりで聞いた感じがよく、相手に好感を与える魅力がそなわっていて、口数の多くない人」をあげている。そして心用意を欠くために、「立派な人だと思って見ていた人が、幻滅を感じさせられるような性根をあらわすのは、ほんとに残念だ」というのである。その時、人にとって大切な条件は、「しな・かたち」(人品や容貌)よりも賢明さであると兼好は主張する。「容貌や気だてのよい人でも、教養がないということがわかってしまうと、下品で、憎らしげな顔をした人たちの間に入りまじって、たわいもなく圧倒されるのは、大変残念なことである」というわけである。

望ましい教養の品々　終わりの一節は、「この時代の貴族の男性の正統的教養の基準を示すもの」(安良岡『全注釈』)ともいえるが、前節からの続きとして読むと、人に立ちまじって、人から「めでたし」と見られるための「才(ざえ)」の内容にふれたものとも言える。「正統的教養」の品々に加えて、「手蹟」「声」「酒」にまで言い及んでいるのは、それを単に社交的な才能と考えるべきでなく、晴の儀式である五節の淵酔や内侍所の御神楽における「拍子とり」や、声の「をかしさ」や、酒のたしなみを念頭にして言及したと考えられる。兼好が「願はしかるべき事」とした世界は、世俗的な才能や実務とは無関係な文化感覚であったのである。それは当然に貴族文化の様式に根ざしたものではあるが、当時の現実からは遊離した仮構の視点に想像力を息づかせる時に見えてくる世界の相貌でもあった。そうした離俗の世界を演じ得る役柄をわかち持てる理想的な演技者についての思いを述べたのがこの第一段の主題と考えられないだろうか。

第七段　世は定めなきこそ、いみじけれ

[1]あだし野の露きゆる時なく、[2]鳥部山の烟立ちさらでのみ住みはつる習ひならば、いかにもののあはれもなからん。世は定めなきこそ、いみじけれ。

命あるものを見るに、人ばかり久しきはなし。[3]かげろふの夕を待ち、夏の蟬の春秋をしらぬもあるぞかし。つく〴〵と一年を暮すほどだにも、こよなうのどけしや。飽かず惜しと思はば、千年を過すとも、一夜の夢の心ちこそせめ。[4]住み果てぬ世に、みにくき姿を待ちえて何かはせん。命長ければ辱多し。長くとも、四十にたらぬほどにて死なんこそ、めやすかるべけれ。

そのほど過ぎぬれば、かたちを恥づる心もなく、人に出でまじらはん事を思ひ、夕の陽に子孫を愛して、さかゆく末を見んまでの命を[5]あらまし、ひたすら世をむさぼる心のみ深く、もののあはれも知らずなりゆくなん、浅ましき。

1京都嵯峨野の奥で、古く墓地とされた地。　2京都清水寺の南方にあたる地で火葬場があった。　3朝生れて夕方死ぬとされていた虫。蜉蝣（ふゆう）。　4いつまでもとどまっていられないこの世。　5予期する。

終末を見つめる心　「あだし野」と「鳥部山」は、都人の生のいきつく果ての地であった。この世に生れ出た命は、死して土と化するか、烟と化するかして終りを遂げなければならないのは

自明の理であるが、「露」や「烟」のように跡形なく消滅してしまう運命を素直に受け容れることはなかなかできない。自分の人生が無意味なものであってはならないという不安にせき立てられて生きる日常は、兼好がたびたびふれているように「生の中に多くの事を成じ」（二百四十一段）「行跡（かうせき）と才芸との誉」（二百四十二段）を求めてとどまることを知らない。民族とか国家とかの歴史のなかで自己を位置づけるか、文化の権威によって自らの生涯の業績を意義づけるかして、自己存在のあかしを確実なものにしようとするのが一般の人の願いである。しかるに兼好は「如幻の生の中に、何事をか成さん。すべて所願皆妄想なり」（二百四十一段）といった視点に立って社会と人生を透視しようとする。その時、妄想の識閾（しきいき）の基底にどうしても残ってしまう心の働きが「もののあはれ」ともいうべき〝生〟の感覚であった。

二度と繰り返されることのない時　兼好は「この世が永遠不変なものであったとするならば、どんなにか物の情趣に欠けたものになるであろう。この世は変化して止まないからこそすばらしいのだ」と言う。人は、有限の時間のなかで生きていることを深く自覚する時、今、こうして世界ととり結んでいるかかわりに真の〝生〟の感覚を見出すに違いない。兼好が「もののあはれ」と呼んだものは、伝統的な美意識の枠組みによって対象化された情趣ではなく、〝死〟との緊張関係のもとでとらえ直された〝生〟の感覚そのものを意味したと考える。兼好が「人間の命は定まっていない（有限である）からこそ、かけがえのない命の日々を大切にし、そのすばらしさに改めて感じ入るのだ」と考えたのは、仏教的な無常観のとらえ直しでもあったわけである。

時においてのみ現前するもの　社会的な地位とか、名誉・財産といった制度的な現実にこだわる心を「皆妄想なり」とした兼好には、老年を地位や名誉によって美化する幻想がなかった。そうした兼好の目には、老年が老醜と見えたようである。そうした兼好が、命の盛りをすごし、喪われゆく青春をふりかえった時、すべてを時の流れにおいて受容しようとしながらも「命長ければ辱(はぢ)多し」といった思いに駆られるのは当然である。「長く生きたとしても、四十に足らないくらいの年で死んでゆくことの方が、一番無難なことであろう」といった感想が語られる根拠には、「人は、かたち・ありさまのすぐれたらんこそ、あらまほしかるべけれ」（一段）といった感受性が働いていたと考えられる。老醜を自覚した兼好は、老いの果てに死を迎えることを「いみじ」きことと考えた。たとえ「夕を待」たない命であったとしても、また「春秋をしらぬ」命をうけたものでも、それぞれの時において現前するものがすべてである限り、他と比較して価値を論じることは無意味である。一瞬の充実のうちに世界の現成を見てとった者が、「しみじみと一年を暮らす間でさえ、十分過ぎる程ゆったりした期間であることよ」といった想いをいだくのは決して不自然なことではない。

老醜の自覚　柔軟でみずみずしい感受性を持ち続けることはついに不可能である。そうした心の衰えは、やがて「老醜を恥じる心もうしなって、老人のくせに人中へ出て交際することを自ら求め、余命いくばくもない身に子や孫に期待をかけて、その将来の栄達を見とどけるまでの命を予定し、むやみと世間的な名誉や利益を求める心だけが深くなって、物のあじわいもわからなくなってゆくのは、何とも情けないことだ」と兼好は批評する。「かたちを恥づる心」を持つということは、自己を他人の目によってながめ返すことができることを意味する。老という生命力の衰えは当然に感受性の鈍化を伴う。そうした老年を生きなくてはならないとするなら、老醜を自らわきまえ、人間の身体的条件の衰えを「変化の理」（七十四段）として受け容れる他ない。「長くとも、四十にたらぬほどにて死なんこそ、めやすかるべけれ」といった生命観は、少なくとも年功序列的な地位を基準にした役割重視の人間観と結びつくはずがない。人間を背後からとりまく光背のような地位とか身分といった幻想をそぎ落して人間を見つめる時、四十を過ぎた人間に「みにくき姿」へと頽落してゆく生理的必然の事実を見てしまうのは止むを得ない。その時、命そのものの理想を「四十にたらぬほどに」見出すことは、しごく自然な態度と言える。

第八段　世の人の心まどはす事、色欲にはしかず

世の人の心まどはす事、色欲にはしかず。人の心は愚かなるものかな。

匂ひなどは仮のものなるに、[1]しばらく衣裳に薫物すと知りながら、[2]えならぬ匂ひには、必ず心ときめきするものなり。[3]久米の仙人の、物洗ふ女の脛の白きを見て、通を失ひけんは、誠に、手足・はだへなどの、きよらに肥えあぶらづきたらんは、

外の色ならねば、さもあらんかし。[4]

1一時的に。 2何ともいえないよい匂い。 3以下の話は『今昔物語』巻第十一に伝えられている。 4外物の美しさではなく、女色そのものだから。

欲望が見させる仮象　『往生要集』には、女性の抗しがたい魅力にひかれ、身を切りさかれてまでも女を抱こうとするすさまじい欲望のすがたが語られている。もちろん、仏説に教えられなくても、女の「手足・はだへなどの、ふつくらとした美しさ」が男の心を強く刺戟し、見られている者の責任と無関係な場所に、エロチックな空想を展開し、妄想のとりこになって平常心をうしなってしまう体験を人は共有している。『往生要集』には、異性の実体を解剖学的に骨・筋肉・内蔵・血液・皮膚といった物質として認識する方法（不浄観）が語られているが、明眸（めいぼう）・皓歯（こうし）の魅力やすがた・かたちの好ましさにひきつけられる感覚は、見る側の想像力に根ざすものであるから、対象の表層だけが問題なので実体の認識とは無関係であると言える。人間の欲望が見させる妄想は、欲望が強ければ濃密な面影をとって心にやきつくし、感じ動く心が淡ければ感覚的な認識にとどまるが、兼好は女の色香に迷う男心の秘められた部分を俎上にのせて「人の心は愚かなるものかな」といった感想をしるしている。

「仮のもの」と知りながらまどう心　第二節では、全く仮りのものである「匂ひ」にまどわされる心をとりあげ、人の心の愚かしさをさらに印象深く語る。「衣裳に薫物」した匂いなどは、その人にそなわった魅力でないということを十分承知しながらも、「えならぬ匂ひ」には心がときめき、そうした心のときめきが、匂ひの主に対する幻想をふくらませ、自ら幻想のとりこになってゆく姿を兼好は醒めた視点から愚かさと見る。しかし、兼好は、物に感じ動く心そのものを「愚かなるもの」ときめつけたわけではない。たとえ幻想にすぎないものであるにせよ、幻想を生み出す根源の深さを兼好はよく認識していた。もし愚かしさということが言えるとすれば、自らの心が映しだした幻影を実像ととり違えてしまう惑乱を問題にしたからではなかろうか。

女色の魅力の手ごわさ　久米の仙人については、『扶桑略記』に古老の言い伝えとして記されたのが文献としては古いものである。『今昔物語』巻十一の「久米ノ仙人始メテ久米寺ヲ造ル話」に収められている久米仙人の話は次のようなものである。吉野の竜門寺の僧で、仙法を積んで仙人となった者が、空を飛び渡る途中、吉野川のほとりで、若い女が衣を掻きあげて洗濯する姿を目にとめるや、女の脛の白いふっくらした肌を見て心が迷い、女の前に落ち、ついにその女と夫婦のちぎりを結んで「ただ人」になっていたが、久米寺造営に際し、かつて修めた仙術をもって材木を飛行させて寺を完成したという久米寺縁起にまつわる有名な挿話としてあつかわれている。この話を兼好は、久米寺縁起から切り離し、女色の迷いの手ごわさを語る主題に限定して語った。女色に迷って通力を失った久米の仙人の話を有名にしたのは『徒然草』のこの段の影響である。そして兼好は久米の仙人の迷いを「さもあらんかし」と肯定しているのである。

愛著の道、その根ふかく、源とほし　兼好はこの第八段に引き続き、第九段に再び男女の愛欲の根深さにふれ、その後半に次のような戒めをしるす。

まことに、愛著の道、その根ふかく、源とほし。六塵の楽欲おほしといへども、皆厭離しつべし。その中に、ただかの惑ひのひとつ止めがたきのみぞ、老いたるも若きも、智あるも愚かなるも、かはる所なしとみゆる。

されば、女の髪すぢをよれる綱には、大象もよくつながれ、女のはける足駄にて作れる笛には、秋の鹿、必ず寄るとぞ言ひつたへ侍る。みづから戒めて、恐るべく慎むべきは、このまどひなり。

「六塵の楽欲」とは、仏教でいう六根、つまり、眼・耳・鼻・舌・身・意の知覚を刺戟する外物を、心の平静さを乱す「塵」とみなし、そうした六塵にひき起される欲望のことである。そうした欲望の数々もある程度は意志と努力によって押えとどめることができるが、愛欲にまつわる惑いだけはどうしても免れ得ないと指摘した上で、「女の髪すぢ」、または「女のはける足駄」といった「仮のもの」に思慮をうしない、欲望がつむぎ出す幻影に惑溺する愚かしさからは免れるべきだと兼好は考える。兼好は自然としての性と「仮のもの」にも「心ときめきする」エロティシズムとを区別し、必要の限度を超えた性的な刺戟に惑わされることを自ら戒めたようである。

色欲に関しては、第百十三段でも、次のように述べている。

四十にも余りぬる人の、色めきたる方、おのづから、忍びてあらんはいかがはせん。言にうち出でて（言葉に出して）、男・女のこと、人の上をも言ひたはぶるるこそ、にげなく、見苦しけれ。

第十段　大方は、家居にこそ、ことざまはおしはからるれ

家居のつきづきしく、あらまほしきこそ、仮の宿りとは思へど、興あるものなれ。よき人の、のどやかに住みなしたる所は、さし入りたる月の色も、一きはしみじみと見ゆるぞかし。今めかしくきららかならねど、木だちものふりて、わざとならぬ庭の草も心あるさまに、[1]簀子・透垣のたよりをかしく、[2]うちある調度も[3]昔覚えてやすらかなるこそ、心にくしと見ゆれ。

おほくの工の、心をつくしてみがきたて、唐の、大和の、めづらしく、[4]えならぬ調度どもならべおき、前栽の草木まで心のままならず作りなせるは、見る目もくるしく、いとわびし。さてもやは、ながらへ住むべき。また、時の間の烟ともなりなんとぞ、うち見るより思はるる。大方は、家居にこそ、ことざまはおしはからるれ。

1すのこ縁や目かくし用の透垣の配置。　2そこらにちょっと置いてある道具。　3古風で。　4何とも言えない立派な。

[1]後徳大寺大臣の、寝殿に鳶ゐさせじとて縄を張られたりけるを、西行が見て、「鳶のゐたらんは、何かは苦しかるべき。この殿の御心、[2]さばかりにこそ」とて、その後は参らざりけると聞き侍るに、[3]綾小路宮のおはします小坂殿の棟に、いつぞ

や縄をひかれたりしかば、かの例思ひ出でられ侍りしに、まことや、「烏の群れゐて池の蛙をとりければ、御覧じかなしませ給ひてなん」と人の語りしこそ、さてはいみじくこそと覚えしか。

徳大寺にも、いかなる故か侍りけん。

1藤原実定（一一三九〜九一）。　2その程度。　3亀山天皇の第十二皇子で性恵法親王。

物欲の対象としての住居　仏教で最も戒めた欲望は、色欲と物欲であった。そして、物質欲のなかで最大なものは何といっても邸宅ではなかろうか。兼好の時代の京都では商業活動の発展につれて多くの富裕な商人（有徳人）が生まれ、衣食住のすべてにわたって華美の風がもてはやされるようになったが、とりわけ豪壮な邸宅や贅をこらした庭園、それに中国やわが国の名物・珍品がもてはやされる風潮が高まりつつあった。そうした風潮は、古式を尊ぶ内裏の造営にも影響を及ぼしたらしく、文保元年（一三一七）に完成した内裏の建物について花園院は「殿舎華構、華美を尽す」（『宸記』）と批判している。兼好もそうした時代の風潮を暗に批判して、住居についての「願はしかるべき」あり方をしるしとどめたものと思われる。

二つの住居観　一般に住居は、その主人の社会的地位とか財産程度を示すしるしのようにみなされる。したがって人は自らの生活の必要のために家を造るだけでなく、他人に自分の社会的地位を承認させせるにふさわしい邸宅を構えようとする。地位や財力に執着する者は、人目を驚かすような豪邸の主となって自己満足しようとし、「多くの大工が工夫をこらして建てた」家に「唐物や国産の珍品や、こった道具類を並べ置き、庭園の植込みの草木までも自然のままでなく手を加え」て、人為の限りを尽くして飾り立てようとする。そうした金殿玉楼を理想とする世俗的な住居観に対し、徹底した住居否定の思想が主張された。無所住を理想とする聖(ひじり)や草庵の閑居を楽しもうとする遁世者達は、雨露をしのぐに足りる、形ばかりの庵を好ましき住居とし、他の一切の所有を否定した。そうした草庵生活の理想は、『発心集』『撰集抄』にくり返し語られており、西行以下の草庵の歌に表現されている。しかし、そうした形ばかりの見すぼらしい草庵は、世間人の目からは憐憫の対象でしかなく、そこに住む人も普通の現実感覚の持主であるならば、そうした対世間の屈辱感に耐えるための自意識の緊張を強いられざるを得ない。長明が『方丈記』で「今、さびしきすまひ、一間の庵、みづからこれを愛す。おのづから、都に出でて身の乞匃(こつがい)(乞食)となれる事を恥づといへども、帰りてこゝに居る時は、他の俗塵に馳する事をあはれむ。もし、人このいへる事を疑はば、魚と鳥とのありさまを見よ。魚は水に飽かず。魚にあらざれば、その心を知らず。鳥は林をねがふ。鳥にあらざれば、その心を知らず。閑居の気味もまたおなじ。住まずして誰かさとらむ」と述べたような屈辱感との葛藤を強いられるのが常である。兼好は、そうしたみすぼらしい草庵のすまいを問題に取り上げなかったのは、遁世者のたてまえから見るなら大変なまぬるい住居観ということになる。

傍観者の感興　兼好はこの章段で自らの住居について語ったわけではないので、ここから直ちに兼好の住居観を導き出すわけにはいかないが、「住居が、住んでいる人に似つかわしく、また好もしい感じであるのは、仮の世における一時の宿とは思うが、やはり感興を覚えるものである」という立場には、遁世者にとってのふさわしい理想の住居が予想されていたと思われる。しかし、ここでは、「よき人」（身分もあり、教養もある人）が「のどやかに住みなしたる」住居の「やすらかな」趣きを肯定し、財力にものを言わせた住居を否定しただけで、その立場はあくまでも「見る目」からする批評に終始している。このことは、貴顕の家の歌会に招かれることの多かった兼好にとって、おのずから覚えた感想であったと思われる。主人とその住居とを見くらべる時に感じる感興は、客人の立場に身を置く時、ことさらに新鮮な興趣をさそわれるものである。兼好は、そうした客人として仮の世のひと時を過す時も、その家居の興趣を心から味わい楽しんだようである。

住居とその主人の人柄　西行に関する話題は、「大方は、住居によって、その家の主人の人柄や趣味はおのずと推測されるものだ」と述べたことからの連想による追加である。外見から内容を推測する時に、とかく陥りがちな独断や誤解を、家居からその主人の人柄を推量する場合に例をとって明らかにしている。正二位左大臣にまで昇進した後徳大寺実定卿に対する遁世者西行の独断にもとづく絶交の話は、史実としてたしかめることはできないが、西行的な人間像の面目躍如たるものが認められる。左大臣をとらえて「この殿の御心、さばかりにこそ」と決めつけ、「その後は参らざりける」いさぎよさは、遁世者と世俗の権威者との関係を語るにふさわしい話柄ではあるが、独断と一途さとの表裏の関係をもまた浮きぼりにしたような話の構成ともなっていて興味深い。

第十一段　柑子の木

神無月のころ、[1]栗栖野といふ所を過ぎて、ある山里に尋ね入る事侍りしに、遙かなる苔の細道を踏みわけて、心細くすみなしたる庵あり。木の葉に埋もるる[2]懸樋の雫ならでは、つゆおとなふものなし。[3]閼伽棚に菊・紅葉など折り散らしたる、さすがにすむ人のあればなるべし。

かくてもあられけるよと、あはれに見るほどに、かなたの庭に、大きなる柑子の木の、枝もたわわになりたるが、まはりをきびしく囲ひたりしこそ、少しことさめて、この木なからましかばと覚えしか。

1京都市東山区山科の地。　2水を引くためにかけ渡してある樋。　3仏に供える水や仏具を置いてある棚。

理想の山里　この段の書き出しは、「神無月のころ」という初冬の季節感を共有するところから出発する。「神無月」といえばまず思い浮かぶのは『後撰集』のよみ人知らずの歌「神無月降り降らずみ定めなきしぐれぞ冬のはじめなりける」である。それに「栗栖野」の地名は「くるすのをの」ともよばれて歌枕の地であった。したがって「神無月のころ、栗栖野といふ所を過ぎて」という表現が触発する想像力の拡がりの果に、現実の日常性を離脱した「定めなきしぐれ」にぬれる山里のわびずまいの面影が予期されるのである。萩も散り、薄もかれがれとなった初冬の野を分け入る山里の風情は、これまた平安時代以来愛誦されてきた『古今集』冬の部に収められている「山里は冬ぞさびしさまさりける人めも草もかれぬと思へば」の歌の世界と重なる。残菊と落葉と時雨を代表的な景物とする「神無月のころ」に「山里に尋ね入る」ということは、理想の山里をたずねることを意味していたのである。「神無月」の季節感は、前段の語り口を借りるなら「山里のつきづきしく、あらまほし」さを語るのに最もふさわしい時節であったわけである。

遥かなる苔の細道　「苔は俗塵から最も遠い植物である」「苔はわれわれを現世の俗事から幽邃な大自然の奥へとはこんでしまう」といったのは、矢内原伊作であった（『京都の庭』）。たしかに、「苔」と言えば「深山（みやま）の苔」を思わせ、「こけの庵さして来つれど君まさで帰るみ山の道の露けさ」（『新古今集』雑中）の古びた粗末な草庵を連想させ、苔むした道は「苔の通り路」「苔の下道」「苔の路」といった歌語を生んだ。兼好はそうした言葉の伝統に即して「遙かなる苔の細道」の表現世界を実現したのである。その遙けさは、俗塵からのへだたりを空間の距離として表現しているが、言葉の世界を媒介とした理想の隠栖へ導く感興の深まりをも意味している。その時、「苔の細道」

の言葉は、日常的世俗的な現実を離脱して〝庵〟の幻想にひたる通路として、まことに適切な表現として読みとれるのである。

〝庵〟の幻想の実現　野を「過ぎ」、「山里に尋ね入」り、「苔の細道を踏みわけて」より奥深い空間へと連続的に移動する叙述方法は、あたかも映画的な手法を連想させ、ズームアップの視野の全面に「心細くすみなしたる庵」がたち現われる。その時、「ある山里に尋ね入る事侍りしに」といった過去の経験の説明的な表現の導入部からわけ入った読者の想像力は、作者の行為の叙述に沿いながらも、いつの間にか庵の主人公の「心細くすみなしたる」理想の草庵世界へと同化させられる。その時、「踏みわけて」の主語は、語り手でもなければ、庵の主でもなく、あたかも読者自身の想像力の動きの表明でもあるかのような曖昧な表現性をともなって受け止められるのである。「落葉水を埋む」とか、「懸樋の水」とか、「残菊」「颪の残せる紅葉」といった面影は、歌題として熟した情景である。そうした景物を現実の山里に見出して「思ひやれとふ人もなき山里のかけひの水のこころぼそさよ」(『後拾遺集』)と歌に詠まれたような初冬の山里の「こころぼそさ」や、『源氏物語』に「菊の花、濃き紅葉など、折り散らしたるもはかなけれど」(賢木)と見えるような秋の名残りを惜しむ「はかなさ」の情感にひたるあまり、ひとたびは非現実の山里幻想に心を奪われるのであるが、「すむ人」のけはいによって現実にひきもどされる。そこで作者は住む人のことざまに思いをはせ、「このような心細い山里でも住んでいられるものだなあと、しみじみと感じ入って、すまいの様子を見ているうちに、向うの方の庭に、大きな蜜柑の木で、枝もたわわにみのっているのを、厳重に周囲の柵をめぐらしている」様に目がとまってしまう。

生活者の現実と理念の裂け目

作者が「かなたの庭」に見出した現実は、伝統的な山里の理念をはみ出した俗世の生活者の意識を思わせないではおかなかった。仏に供えるために「閼伽棚に菊・紅葉など折り散らし」ている人と、「枝もたわわになりたる」「柑子の木」の「まはりをきびしく囲」っている人とが同じであるという認識は、文化意識と生活意識との乖離の問題へと展開せざるを得ない。もし作者が、「さすがにすむ人のあればなるべし」までの部分で筆をおいたとしたら、『徒然草』の文学としての新しさはどこにも見出せない。山里に住んだとしても避けることができない生活者の現実を、きびしい囲いの存在によって語ろうとするところに、文化理念を生きようとする知識人に対する批評が読みとれるのである。柑子は、丹波の栗、近江の柿とならんで、屋敷内に栽培された代表的な商品果実であった。とくに柑子は京都の近郊に栽培されて京都の市場に売りに出されたようである。庵の主も、生活の資を得るために栽培していたのであろうが、「まはりをきびしく囲」うことで生活者としての安心をはからざるを得なかった。そうした庵の主人のことざまに対し「この木がもしなかったらよいものを」と思わずにはおられなかった作者の批評は、遁世歌人として生きようとする己れ自身の生活意識のあり方へと向けられたに違いない。「少しことさめて」という言葉には、理念の世界へ没入しようとする浪漫的な心の動きの背後に、生活者としての欲望の世界をも同時に見てしまわざるを得ない批評家の心のあり方が語られているように思われる。

第十二段　まめやかの心の友

同じ心ならん人と、しめやかに物語して、[1]をかしきことも、世のはかなき事も、[2]うらなくいひ慰まんこそうれしかるべきに、さる人あるまじければ、つゆ違はざらんと向ひゐたらんは、ひとりあるここちやせん。

互に言はんほどの事をば、「[3]げに」と聞くかひあるものから、いささか違ふ所もあらん人こそ、「我はさやは思ふ」など争ひ憎み、「さるから、さぞ」ともうち語らはば、つれづれ慰まめと思へど、げには、[4]少しかこつかたも、我と等しからざらん人は、大方のよしなしごと言はんほどこそあらめ、まめやかの心の友には、はるかにへだたる所のありぬべきぞ、わびしきや。

1 興趣あること。　2 心おきなく。　3 なるほど。　4 世に批判の心を持っている方面。

友を求める心　日本人の精神史で平等な横の人間関係を自覚して求めるようになるのは、数奇者同士の雅交か遁世者の交友においてではなかろうか。前近代の社会にあっては、身分が固定し、身分相互間の縦の関係がきわめてきびしく規定されていたため、そうした制度の内に身を置く限り、人は上下の秩序を保つためのしきたりや組織の利害関係の要請に従わざるを得ない。そこでは人と人との関係は、機能上のかかわりが主となり、心のかかわりは従とされてしまう。そうした状況は近代の分業社会のなかにも存続し、実社会の人間関係はそうした社会関係を拠り所とした同僚にすぎない場合が多い。しかし、素直な人間らしい心の要求は、たとえ職能上のかかわりを縁とした関係であっても、そこに心の友を見出し、「しんみりと語りあって」「とかくのへだてなく話に興じ、心の慰めとしたく」思うのが常である。

心の友の得がたさと孤独感　兼好が「同じ心なる人」といわないで、仮定の意をこめて「同じ心ならん人」と書いたのは、一種の諦念を前提にしながら願わしい友の俤をえがいたことを意味している。そのとき「同じ心」の意味するところは、多くの注釈書にふれられている趣味・嗜好・意見などといった個性の問題ではない。世俗の名利に執着する心やいささかの違いを強調して互いにしのぎをけずるような生き方から脱却した遁世者の心を意味したに違いない。「しめやかに物語して」ということには、単に話し方が問題となるのではなく、心の触れあいを可能にする開かれた態度が必要である。兼好にとっては、この開かれた心を持つことが「同じ心ならん人」の基本条件であって、そのためには世俗の利害関係や立場にしばられない心のあり場所を共有できる遁世者が友として最も望ましいわけである。世俗をしばらく遁れて、「興趣深いこと」や「世の中のかりそめな姿」を話題にして「心おきなく話しあって心のさびしさを慰めること」ができるとすれば、人はしみじみした心のふれ合いに「うれし」さを覚えるものである。ところが、現実にはわだかまりなく心を開くことができる友は得られないので、孤独のさびしさに耐えて生きるほかない。話し合うことが、言い争いとなったり、相手への説得となったりしないようにと心を使って、「相手の心に少しでも逆らわないように思って対座しているとしたら」、友と居ても「結局は一人でいる心持がする」という。兼好は世俗に執する人との交友のむつかしさを絶望的にみているようである。

まめやかの心の友　考えてみれば、人ははじめから「ひとり生れてひとり死す」(一遍「百利口語」)ことを運命づけられた孤独者なのである。したがって厳密な意味での「同じ心」の人はあり得ないのが当然とも言える。しかし、お互の孤独を認めあった上で心を開いて語りあったならば「お互いに言いたいと思うほどのことは何事であっても、『なるほど』と聞く価値はある」はずである。それなのに、世間の人は先入見にとらわれて、「少しでも意見を異にする点があるとなると」意見の是非優劣を決する態度に出て、「自分はそうは思わない」などと言い争い憎みあうにいたる。その時、兼好は、もし「ほんとうの意味の心ある友」ならば、多少の意見や立場の違いは争い憎む論争的な関係にエスカレートするはずがないという。理想の友人関係ならば、語る方も利害関係を離れた道理の立場から「こうだから、こうなのだ」と語りあうことが出来るはずで、もしそうした語り合いならば、「つれづれ」を慰めることができるだろうと考える。

世間一般の人間関係　世間の人は実際には自己主張的立場に執着しがちなものであるから、「世の中に対する批判の立場が自分と同意見でないというような人」の場合は、「ありきたりのとりとめない話をしているうちは、適当に調子をあわせていられる」が、しかし、いささかでも立ち入った話合いになると、忽ちに意見の対立が憎しみの心を相手に植えつけてしまうことになるので、それがいやさに「相手の心に逆らわないようにと思って向い合う」心づかいをしなくてはならないわけである。兼好は、そうした世間人との交友関係に、「心の友」とは「はるかにへだたる所」のあることを痛感して、世俗の交友関係に、何ともやりきれない「わびしき」思いを嚙みしめたのである。

見ぬ世の人を友とする

この後の段で、兼好は孤独のさびしさを慰めてくれる友を「ひとり、燈のもとに」ひろげる書物の世界に求める気持を書いている。「ひとり燈火のもとに文をひろげて、見ぬ世の人を友とするぞ、こよなう（この上もなく）慰むわざなる」というのである。夜の孤独の世界に身を置いて、生きることの味わいに思いをひそめる時、「文選のあはれなる巻々、白氏文集、老子のことば、南華の篇（『荘子』）」や、「この国（わが国）の博士どもの書ける物も、いにしへの（昔のもの）」には、心にしみじみと語りかけてくる言葉が見出され、そうした「見ぬ世の人を友とする」書物の世界が、さびしさに耐えて生きる遁世者の大きな慰めであると語る。昼の社会から離脱した「燈のもと」の孤独が、かえって時と場所のへだたりを超えた「心の友」とのふれ合いを可能にしてくれるというのである。「まめやかの心の友」は、私達が真に孤独者となり得た時、孤独を共有できる間柄としてのみ求め得るのである。

第十九段　折節の移りかはるこそ、ものごとにあはれなれ

折節の移りかはるこそ、ものごとにあはれなれ。

「もののあはれは秋こそまされ」と、人ごとに言ふめれど、それも[1]さるものにて、今一きは心も浮きたつものは、春の気色にこそあめれ。鳥の声などもことの外に春めきて、のどやかなる日影に、垣根の草もえいづるころより、[2]やや春ふかく霞みわたりて、花もやうやう[3]けしきだつほどこそあれ、折しも雨風うちつづきて、心あわたたしく散り過ぎぬ。青葉になり行くまで、よろづにただ心をのみぞ悩ます。花橘は名にこそおへれ、なほ、梅の匂ひにぞ、いにしへの事も立ちかへり恋しう思ひ出でらるる。山吹の清げに、藤の[4]おぼつかなきさましたる、すべて、思ひ捨てがたきこと多し。

1もっともなこと。　2次第に。　3咲き始める。　4ぼうっとしたさま。

「[1]灌仏のころ、[2]祭のころ、若葉の梢涼しげに茂りゆくほどこそ、世のあはれも、人の恋しさもまされ」と、人の仰せられしこそ、げにさるものなれ。五月、菖蒲ふくころ、早苗とるころ、水鶏のたたくなど、心ぼそからぬかは。六月のころ、あやしき家に夕顔の白く見えて、蚊遣火ふすぶるもあはれなり。[3]六月祓またをかし。

1四月八日の釈迦の誕生日。　2上・下賀茂神社の祭で当時は四月の中の酉の日に行われた。　3六月晦日に、水辺で行ったはらえ。

七夕まつるこそなまめかしけれ。やうやう夜寒になるほど、雁なきてくるころ、萩の下葉色づくほど、早稲田刈り干すなど、[1]とりあつめたる事は秋のみぞ多かる。また、野分の朝こそをかしけれ。言ひつづくれば、みな源氏物語・枕草子などに[2]ことふりにたれど、同じ事、また、今さらに言はじとにもあらず。おぼしき事言はぬは腹ふくるるわざなれば、筆にまかせつつ、[3]あぢきなきすさびにて、かつ破り捨つべきものなれば、人の見るべきにもあらず。

1あれこれとあわれ深いこと。　2言いふるされてしまっているけれど。　3つまらない筆の慰み。

さて冬枯のけしきこそ、秋にはをさをさおとるまじけれ。汀の草に紅葉の散りとどまりて、霜いと白うおける朝、[1]遣水より烟の立つこそをかしけれ。年の暮れはてて、人ごとに急ぎあへるころぞ、またなくあはれなる。[2]すさまじきものにして見る人もなき月の、寒けく澄める廿日あまりの空こそ、心ぼそきものなれ。[3]御仏名・[4]荷前の使立つなどぞ、あはれにやんごとなき。公事ども繁く、[5]春のいそぎにとり重ねて、催し行はるるさまぞ、いみじきや。[6]追儺より四方拝につづくこそ、おもしろけれ。晦日の夜、いたうくらきに、松どもともして、夜半過ぐるまで、人の門たたき走りありきて、何事にかあらん、ことごとしくののしりて、足を空にまどふが、暁がたより、さすがに音なくなりぬるこそ、年の名残も心ぼそけれ。亡き人のくる夜とて玉まつるわざは、このごろ都にはなきを、東のかたには、なほする事にてありしこそ、あはれなりしか。

1庭中へ引き入れた細い流れ。 2殺風景なもの。 3十二月十九日から三日間、清涼殿で諸仏の名号を唱えて懺悔・滅罪を祈る行事。 4十二月中旬に諸国からの貢物の初穂を陵墓に供える勅使。 5新春の準備。 6大晦日の夜、宮中で行われた鬼やらい。

かくて明けゆく空の気色、昨日にかはりたりとは見えねど、[1]ひきかへめづらしき心地ぞする。大路のさま、[2]松立てわたして、花やかにうれしげなるこそ、またあはれなれ。

1うってかわって。 2門松。

うつろいの美と情緒

第十二段にふれられている世の「をかしきこと」「はかなき事」の内容は、いずれにせよ生活者としての日常を離脱した興趣の世界であったと思われる。第十三段では読物を通して「見ぬ世の人を友とする」心の慰めを語り、第十四段では、和歌や歌謡の言葉が情趣をかきたてる面白さを語り、第十五段では、日常を離れた旅の味わいを「いづくにもあれ、しばし旅だちたるこそ、目さむる心ちすれ」と述べている。こうして以下第十六段では、神楽や「ものの音」の優雅さを、第十七段では、山寺に参籠して「心の濁りも清まる心ち」がするという感想が記されるのは、日常性を脱け出して新鮮な感覚をよびさまし、人生の味わいを新たにする試みを述べたものと言える。こうした生の味わいを深めるためには「奢り」や「財」をむさぼる虚飾の生活を削ぎ落さねばならない。第十八段で中国の許由や孫晨といった清貧の高士の逸話を引いて、いたずらに富を求める生き方を否定したのは、隠遁と閑居の生活こそが、自然との新しい関係をとり結ぶことを可能にする唯一の道であると認めたからである。そうした離俗の世界をうつろいの美の中にたしかめたのがこの第十九段の内容である。

季節の推移の情趣　前段との関連については、安良岡康作氏がつぎのような新見を述べている（『全注釈』）。

> 許由・孫晨の事蹟を『蒙求和歌』により知ったとすれば、その編成が、兼好に、四季の変遷についての興味を喚起したのかも知れないと想像されてくる。『蒙求和歌』の第一春部の中には、立春・霞・梅・花・春雨・藤花・款冬等の題が見られ、第二夏部には葵・水鶏・菖蒲・早苗・盧橘・蚊遣火・夕顔など、第三秋部には七夕・萩・鴈など、第四冬部には、初冬・落葉・霜・氷・歳暮などの題が見られる。これらは、いうまでもなく、和歌の撰集の部立・配列によっているのである。

連想の契機は、氏の指摘の通りかもしれないが、この段の内容は季題的な四季の風物を叙したという文章ではなく、訪れくるものへの期待や過ぎゆく時の名残りへの哀傷といった自然との感得的な共感に支えられた世界の表現とみるべきである。文中の「今一きは心も浮き立つものは」「心あわただしく」「ただ心をのみぞ悩ます」「思ひすてがたき」以下「あはれなり」「をかし」といった言葉によって、季節の移り変ってゆく、その折々の風物についての「あはれ」を述べたのは、情感のリズムに枠どられた四季を表現世界に対象化してみたかったからである。

隠遁文化人の想念に浮上する世界　この段の叙述の途中で兼好自身が「言い続けてくると、みな源氏物語や枕草子などに言いふるされてしまっているが」とことわっているように、「春の気色」から「野分の朝」の趣きを叙した部分は、『源氏物語』の六条院の四季を描いた「初音」以下「野分」に至る六巻の叙述が想起されていたと思われる。参考までに「初音」の書き出しの部分を引くと、

　年たちかへるあしたの空の気色、なごりなく曇らぬうららかげさには、数ならぬ垣根のうちだに、雪間の草、若やかに色づきはじめ、いつしかとけしきだつ霞に、木の芽もうちけぶり、おのづから、人の心ものびらかにぞ見ゆるかし。

となっているが、こうした表現世界の伝統を再生させ、言葉の世界に想像力を凝集するところに、この第十九段のような叙述が完成するのである。生活上の必要にかかずらう心は、猥雑、散漫なとりとめない情況に放置されているが、表現の世界に心を凝集する時、そこに隠遁文化人の心を充たしやすい想念の現実がたぐりよせられるのである。それは兼好にとっても「生ける仏の御国」(「初音」)に喩えられる「みやび」の世界であったに違いない。

春の情趣　兼好は春のけはいをまず鳥の声に聞きつける。そして「うらうらと照る春の日ざしのもとで、垣根の草がまず青くもえいで、その頃から次第に春がふかまり、空も霞につつまれ、桜もしだいに咲き始め、花への期待がたかまる頃になると、ちょうどあいにく雨風がずっと続いて、花への思いがみたされないままに気ぜわしく散ってしまう。そういうぐあいで花の季節が過ぎ青葉になってしまうまでは、何かにつけて、気ばかりもむことである。橘の花は、その香が懐旧の情をそそるものとして有名であるが、しかしなんといっても、梅の花の匂いには、過ぎ去った昔のことが、その当時にたちかえってなつかしく思い出されるものである。山吹がさっぱりと美しい花を咲かせ、暮春の夕暮に藤がぼうっとほの暗く花をたれている様子など、すべて見過ごしがたいことが多い」と語る。ここには多くの評者がふれているように花の季節の美を書きたてた叙述が見られない。作者は時の流れと共に息づく期待や愛惜や懐旧の情に想いをひたらせるのである。

夏の季節に見出す「あはれ」　「釈迦の像に香水をそそぎかける仏事が行われるころ、そして葵で物を飾る葵祭のころ、木々の梢の若葉が涼しそうに茂ってゆく時節は、過ぎ去ってゆくものごとへのしみじみとした懐かしさも、久しく逢わないでいる人の恋しさも、一層強く心に感じるものである」というある人の言葉への共感を表明する形式で、旧暦四月の情趣を語り、ひき続き、五月の季節に新鮮な感覚を呼びさます風物として「菖蒲ふくころ」の街の様子や「早苗とるころ」の郊外の眺望をとりあげる。そして「水鶏」の戸を叩くような鳴き声が聞かれる山里の孤独な生活の淋しさへと想像の世界をひろげる時、『源氏物語』の「夕顔」の情景が幻想として浮上したと思われる。「あやしき家に夕顔の白く見えて、蚊遣火ふすぶる」六月の「あはれ」が語られるのは、表現世界の論理であって、現実を観察した結果の選択ではない。「六月祓」が取りあげられるのも、それがまさに夏の終りの夕方に行われた行事であったからである。そこにも過ぎゆく季節に寄せる哀感がよみとれるのである。

秋のみやび　七夕の祭りは、牽牛・織女の二星を祭る行事で、すでに『万葉集』に七夕の歌が見えるように、奈良時代に中国から伝わった行事で、竹竿に五色の糸をかけ、詩や歌を書いた短冊を結んで飾り立て、星に供物を供える。宮中では管絃が催されたりして、一夕のみやびをつくす。そうした行事がかもし出す優雅な情感を作者は想いえがく。以下筆者は「ほど」とか「ころ」といった言葉を用いて、対象を限定しない表現を続け、時の流れを思わせ、連想のひろがりを読者の自由にまかせる。例えば、「早稲田刈り干す」の一語にしても、そこからは「きのふこそ早苗とりしかいつのまに」といった過ぎゆく月日への感懐が伝わってくるのである。こうして季節の事象の彼方に、貴族のみやびを想起する時、「野分の朝」の趣きも、『源氏物語』「野分」に描かれた面影が重ねあわされていたに違いない。それに「野分の朝こそをかしけれ」と書いた時、『枕草子』の「野分したるつとめてこそいみじうをかしけれ」の文章との類同に思い至り、「みな源氏物語・枕草子などにことふりにたれど同じ事」をもう一度言ってはならないというわけでもない、とことわったものと思われる。しかしそれは、読者を意識してことわったというより、王朝古典の言葉を繰り返す行為によってよみがえる「みやび」を自らに楽しむことの確認の言葉でもあったのである。

冬枯のけしき・年の名残　「もののあはれは、なんといっても秋が一番だ」といった大方の意見に対して春の「心も浮きたつ」趣を強調したり、「冬枯のけしき」をのべるにあたって「秋にもほとんど劣るまいと思われる」とことわる発想の底には、通念にとらわれない新しい季節感の発見を主張したい心が働いていたのではなかろうか。「水際の草に流されないでとどまった紅葉の一葉に秋の名残りを見出して興じる心や、霜が真白に置いた朝、庭の細い流れからかすかに白く湯気がたっている」眺めに、ほのかなぬくもりを感じとる心の味わいや、人の寝しずまった夜更の空に、ひっそりと光を輝かしている「廿日あまりの空」のけしきなどは、作者が発見した冬の情趣の新鮮な表現であった。年末から新春へかけての宮廷の行事や民間の風習についてふれた叙述は他と較べるとくわしく語られ、とくに都の風習と関東での魂祭の行事についての観察は民俗学の貴重な資料とされるほどである。しかし、作者の主眼は、行事そのものの記述にあるのではなく、過ぎゆく年への感慨を、行事によって表現するところにあったのである。最終段落は、新しい年を迎える「浮きたつ」ような晴れやかさを述べ、行く年来る年の「移りかはる」時節のめぐりをしめくくると同時に、春の記述へとつながるように工夫された構成をとっている。

日夜をわかず移りゆくもの　この後の第二十段は、「某(なにがし)とかやいひし世捨人の」言葉をかりて「この世のほだし持たらぬ身に、ただ空の名残のみぞ惜しき」(この世に何一つ未練を残すものもない身には、ただ、変化してやまない空との別れだけが心残りだ）と述べ、さらに第二十一段で、月・露・風・水といったうつろいそのものを思わせる自然をとりあげ、「折にふれば、何かはあはれならざらん」（その時にふさわしいものであったら、何一つとして、しみじみとした興趣をおぼえないものがあろうか）といった主題を論じている。これら三段には、俗世への執著、つまり、名利や学問・技芸の名誉に対する執著を離れた世捨人の境涯を生きる者にも捨てきれない心残りの対象としての自然の興趣が続けて語られている。ここには、過ぎ去り、失われゆく時の流れを愛惜しないではいられない心を、さらに一歩離れた場所から見つめる心のあり方がたしかめられている。作者の遁世の目的はそんな心の場所を己れに確保するところにあったのではなかろうか。

第二十三段　九重の神さびたる有様こそ、世づかず、めでたきものなれ

衰(おとろ)へたる末の世とはいへど、なほ、九重(ここのへ)の神さびたる有様こそ、世[1]づかず、めでたきものなれ。

露台(ろだい)[2]・朝餉(あさがれひ)[3]・何殿(なにでん)・何門などは、いみじとも聞(きこ)ゆべし。あやしの所にもありぬべき、小蔀(こじとみ)[4]・小板敷(こいたじき)[5]・高遣戸(たかやりど)[6]なども、めでたくこそ聞(きこ)ゆれ。「陣(ちん)[7]に夜(よる)の設(まうけ)せよ」とい

ふこそいみじけれ。[8]夜の御殿のをば、「かいともしとうよ」などいふ、まためでたし。[9]上卿の、陣にて事おこなへるさまはさらなり、諸司の下人どもの、したり顔に、なれたるもをかし。さばかり寒き夜もすがら、ここかしこに睡り居たるこそをかしけれ。「[10]内侍所の御鈴の音は、めでたく優なるものなり」とぞ、徳大寺太政大臣はおほせられける。

1世俗の風にそまらないで。 2紫宸殿と仁寿殿との間にある板敷の台。 3清涼殿の一室で、天皇が略式の食事をとる所。 4清涼殿内の東南隅の南側の壁の小窓にとりつけてある小形の蔀戸。 5清涼殿殿上の間の南にある板敷の縁。 6清涼殿の西南の渡殿の南にある開き戸。 7政務や儀式の際、諸卿が着座する所。 8清涼殿の一室で、天皇の御寝所。 9儀式や行事をとりさばくために選任された公卿。 10神鏡を奉安してある御殿で賢所ともいう。

兼好の青春体験と〝花への感慨〟 失われゆく時への感懐を書きつらねた作者は、第二十一段にひき続いて、「なに事も、ふるき世のみぞしたはしき」といった懐旧の主題を展開し、言葉も器物のデザインも、現代風のものはすべて情けなくなってゆく嘆きを述べる。そして「かの木の道の匠の造れる美しきうつは物も、古代の姿こそをかしと見ゆれ」（二十二段）という時、「古代の姿」とは、王朝のみやびをさしていたに違いない。兼好と王朝との関連を三木紀人氏はつぎのようにいう（秋山虔編『中世文学の研究』所収「歳月と兼好」）。

平安時代の中・末期に、心ならずも田舎に沈淪した知識人たちが、都を「花の都」と呼んでなつかしんだというが、王朝から時間的に大きくへだてられた兼好にとって、対比的にいえば、王朝ははるかなる「花の都」であったろう。

「時うつり、事さ」って、王朝を構成していた事物が失われていく過程が中世史であったとすれば、兼好の時代に残存するどんな瑣末なものでも、それは「花」の一切にほかならなかった。

(中略)程度の差こそあれ、「花」への感慨をその根に持つ段は、『徒然草』の過半をおおうであろう。

と〝「花」への感慨〟を指摘している。

懐旧の主題と王朝の文化　一般には、第二十二段・二十三段・二十四段は兼好の「尚古趣味をあらわに述べた段である」(冨倉徳次郎『類纂評釈徒然草』)とされ、「彼はその王朝風が風俗に、器物に、言語に、日々廃れてゆくのを、限りない愛著をもって歎いている」(同)と解されている。しかし、単に兼好の尚古趣味をよみとればすむ問題であろうか。たしかに失われゆくものを中心に「今」をとらえるなら、「今」はつねに「衰へたる末の世」と観じられるほかない。そして、そうした批評意識を一般化していうなら、壮年期を過ぎた人の誰しもがいだく感懐とも言える。兼好もそうした「古きよき時代」をしのぶ想いで筆をとったのだろうか。すでに第一段のところで述べたように、兼好が志向する宮廷は、王統の継承をめぐる暗闘や思惑が錯雑する政治的次元でのそれではなかった。世を遁れた兼好が、世俗を離れた視点から、主として言葉の枠組みを介して望見した「ふるき世」とは、文化の領域にのみ限定された宮廷であった。華美な風習が好まれ、「唐の、大和の、めづらしく、えならぬ調度ども」を珍重するような時代の風潮に卑俗さを見てとった兼好が、皇居の古風なたたずまいに、俗世の気風にそまらない「めでたきもの」(立派なもの)を観じているのは、それが作者にとっての理想の「古代」の姿と映ったからであろう。そこでの懐旧の想念は、そのまま文化の規範を志向する心のあり方と重なりあうのである。

隠者の目がとらえた宮廷

この段に関連して関根賢司氏は、つぎのようにいう(『徒然草講座』第一巻「兼好の王朝観」)。

> 世俗に対して距離を保っている宮廷は、その遠隔の感じのゆえに、俗世すなわち穢土に対して厭離の観念を懐いている隠者にとって、その理想と構造的に対応する〈軌範〉たりえたのである。「いでや、この世に生れては」(第一段)という視点が、「後の世の事、心にわすれず、仏の道にうとからぬ、こころにくし」(第四段・全文)という方向へ転じ、「人と生れたらんしるしには、いかにもして世を遁れんことこそ、あらまほしけれ」(第五八段)と展開してゆく、隠者の眼が捉えた宮廷でそれはあった。「後の世」も「古き世」も「九重」も、「この世」の「今」に対して、遠さとともにある軌範であった。

規範としての宮廷は、まず何よりも言葉を拠り所として成立する文化であった。「露台・朝餉・何殿・何門など」といった名称や「小蔀・小板敷・高遣戸など」といった呼び方が触発する想像力を媒介にして望見される「世づかず、めでたき」宮廷だったのである。それに燈火の用意などすることを「陣に夜の設せよ」といったり「かいともしとうよ」(「かいともし」は、夜の御殿の四隅にある燈籠のことで、「とうよ」は「とくせよ」をやわらげた言い方)と命令する古式のままの言葉づかいを聞くと、いかにも時代離れのした「神さびたる有様」が髣髴とするというのである。ゆったりと進行する儀式を指図する上卿のしぐさはいうまでもなく、「諸役所の下役人どもまでが、得意そうな表情で、もの馴れた動作をしたり」、あるいは「あれほど寒い夜を通して庭で待機する間、あちこちで眠りこけていたりする」姿に、浮世ばなれした趣を覚え、とくに「天皇が内侍所に参拝される折に、女官が鳴らす御鈴の音は、まことに古雅な趣きをかもしだすものである」と評した藤原公孝の言葉に共感する兼好の心は、青春の一時期を宮廷ですごした自らの想い出を原体験に持つ者の消しがたい感覚でもあった。

第二十五段　飛鳥川の淵瀬常ならぬ世

飛鳥川[1]の淵瀬常ならぬ世にしあれば、時移り、事さり、楽しび・悲しびゆきかひて、花やかなりしあたりも、人すまぬ野らとなり、変らぬ住家は人あらたまりぬ。桃李もの言はねば、誰とともにか昔を語らん。まして、見ぬいにしへのやん事なかりけん跡のみぞ、いとはかなき。

京極殿[2]・法成寺[3]など見るこそ、志とどまり事変じにけるさまは、あはれなれ。御[4]堂殿の作りみがかせ給ひて、庄園多く寄せられ、我が御族のみ、御門の御後見、世のかためにて、行末までとおぼしおきし時、いかならん世にも、かばかりあせはてんとはおぼしてんや。大門・金堂など、近くまでありしかど、正和のころ、南門は焼けぬ。金堂はそののち倒れふしたるままにて、とりたつるわざもなし。無量寿院ばかりぞ、その形とて残りたる。丈六[5]の仏九体、いと尊くて並びおはします。行成大納言の額、兼行が書ける扉、あざやかに見ゆるぞあはれなる。法華堂なども、いまだ侍るめり。これもまた、いつまでかあらん。かばかりの名残だになき所々は、おのづから礎ばかり残るもあれど、さだかに知れる人もなし。

されば、万に、見ざらん世までを思ひ掟てんこそ、はかなかるべけれ。

1奈良県にある川。　2藤原道長の邸。　3道長の建てた寺。　4道長のこと。　5約四メートル八〇センチの高さの仏像。

事実としての無常

兼好は無常を超えた永遠を求めるために、無常を観じたのでもなければ、無常を超えた実在を信じるが故に、この世を無常と見たのでもなかった。自己も世界も無常として存在せしめられているという根源的な事実に即して生の輪郭を見定めようとしただけなのである。すでに第七段でみたように、無常の自覚は「世をむさぼる心」と対置されて考えられていた。人はかりそめの肉体に心を宿して生まれながら、その心は肉体の滅びを超えた幻想としての永遠を信じないではいられない。「行跡と才芸との誉」（二百四十二段）を愛し、名誉を歴史にとどめようとしたり、業績や作品を遺すことで生きた証しをたてることに執著したりするのは、すべて人間存在の無常にあらがう執念のいとなみとも言える。そうした営みを醒めた目でながめるとき、「いとはかなき」という亡びの姿が形あるものの影の部分に見えそめるのである。

無常を観る想像力　目標や目的を設定してひたすらに生きる者にとっては、たとえ後をふりかえることがあったとしても、それは前進のてだてを考えるための参考か、せいぜい知的好奇心を充足するための教養として考えられているにすぎない。「見ぬいにしへ」を見るということは、知的に過去を復元構想することではなく、「今」の現実を過去から遠望することであった。そうした遠望を試みるためには、「虚」の視点に立たなくてはならない。兼好が、『古今集』『和漢朗詠集』にみられる古歌・古詩を引用した美文をもって序を書いているのは、法成寺の荒廃を描くための導入のためだけではなく、古歌・古詩の表現がもたらしてくれる想像力の枠取りが、無常を観ずる方法だったからと考える。

飛鳥川の淵瀬常ならぬ世　「あすか川」の「あす」という言葉には、「明日」を期待して明かしくらす生の営みのはかなさを連想させる響きがある。藤村の詩「昨日またかくてありけり　今日もまたかくてありなむ　この命なにをあくせく　明日をのみ思ひわづらふ」（『落梅集』「千曲川旅情のうた」）といった想いもそうであるが、「明日知らぬわが身」（『古今集』）の命への感懐も「飛鳥川の淵瀬常ならぬ世」の言葉から読者の心に送り届けられる。『徒然草』の場合は、そうした言葉にひき続いて有名な古歌「世の中は何か常なる飛鳥川昨日の淵ぞ今日は瀬になる」（『古今集』）の修辞と『古今集』序の「たとひ時移り事去り、たのしび悲しび行きかふとも、この歌の文字あるをや」の文辞の引用によって文章が構成されるが、そのあと「はなやかに栄えていた人の邸のあたりも、いつか人も住まない野原と変り、昔からある邸は、その主人が変ってしまう」といった「人とすみか」の無常の確認へと主題がしぼられる。そして、没落し荒廃してしまった邸跡に昔ながら咲き匂う花をながめて懐旧の世界へと導かれる。そうした想像力の枠取りのなかに、具体的な面影として京極殿と法成寺といった代表的な「見たことのない昔の高貴な」人物道長の栄華のあとが語られる。

道長の遺業の廃滅　京極殿は、土御門殿ともよばれ、『紫式部日記』に彰子中宮御産にまつわる叙述のなかで邸宅の有様がくわしく語られている。一条天皇の土御門邸行幸があって八年後に焼失し、その後美麗をつくして再建されたが、道長の死後再び焼亡し、ついに廃滅に帰した。法成寺については『栄花物語』に善美をつくした造営事業がくわしく語られている。「仏法を住持し、国家を鎮護」し、あわせて「家門に怨をなす怨霊を降さんが為」（『扶桑略記』）に建立された壮麗な伽藍も、たび重なる焼亡にあい、兼好がこの文章をしたためた時点では、「丈六の仏九体」を安置した無量寿院（阿弥陀堂）と法華堂をとどめるだけで、その他の堂塔伽藍は、あるいは焼け、あるいは倒れふし、「昔のおもかげを留めてない所々は、稀に礎石だけが残っている」といった有様であった。

志とどまり事変じにけるさま　以上に述べたような京極殿や法成寺の跡を見るにつけて、寺の永久の護持と一族の末長い繁栄を祈念して、そのための万全の手だてを講じた道長の執心の空しさに思いを及ぼす時、作者は、「それだから、何事につけ、死後の世のことまで考えて処置しておくことは、何とも頼みにならないことだ」と改めて確認する。その時、兼好は、人が宿す情念の不条理さを、法成寺造営に傾けた道長の情熱のうちに感じていたと思われる。『栄花物語』によれば、道長自身はねむる時間も惜しみ、臣下に対しては公務をよそにしてまでも造営にいそしませ、板敷一つでも、とくさ・椋の葉をもって四、五十人して磨き立てさせた程贅美を尽くしたという。その法成寺も道長の死後三十一年目に諸堂の大部分を焼亡し、その後頼通が復興したけれども、度々の火難に遭って多くの堂舎をうしない、寺運は廃亡の一途をたどった。兼好は、無量寿院焼失以前の法成寺を取り上げて「志とどまり事変じにけるさま」を描いてみせたわけである。この段に続いて第二十六段では、恋の情熱における移ろいを「風も吹きあへずうつろふ人の心の花」にたとえて、男女の熱い交情をも風化させてしまう時の流れによせる悲しい諦めを語る。そして、第二十七段では「御国ゆづりの節会」(御譲位の儀式)にふれて、世変りにさりげなく順応してゆく人の心のとりとめなさにふれ、第二十八段で「諒闇の年(天皇が父母の喪に服す一年間)ばかりあはれなる事はあらじ」というように、在りし日の想い出が照らし出す変容としての時間を主題とした章段が続く。そうした後に次の第二十九段の述懐が語り出される。

第二十九段　過ぎにしかたの恋しさのみぞせんかたなき

しづかに思へば、よろづに過ぎにしかたの恋しさのみぞせんかたなき。人静まりて後、長き夜のすさびに、なにとなき具足とりしたため、残しおかじと思ふ反古など破りすつる中に、亡き人の手ならひ、絵かきすさびたる、見出でたるこそ、ただ、その折の心地すれ。このごろある人[1]の文だに、久しくなりて、いかなる折、いつの年なりけんと思ふは、あはれなるぞかし。手なれし具足[2]なども、心もなくて変らず久しき、いと悲し。

1今現に生きている人。　2なき人が用い馴れていた道具。

〝失われし時〟を求める心

生活者の日常心は、当面の目的・計画・必要に迫られた多忙な時間を過すか、もしくは暇を得た時は気晴らしの遊びを求めるかして、何ものかに心を奪われた状態から脱け出ようとはしない。兼好はそうした日常心の世界からあえて身をふりほどき、世俗を離れた境涯から、これといってすることもない時間に心を遊ばせようとする。「しづかに思へば」

という言葉は、そうした心のあり方を用意するものであって、『盤斎抄』に「静の字、心を付くべし。軽からず心をしづかにして思へば也。ふとはしられぬ由なり」と注しているのも同じ趣旨である。「さかゆく末」（立身出世の結果）を期待し、「ひたすら世をむさぼる心のみふかく」（七段）生きる者にとっては、まさに「ふとはしられぬ」心の置き場所が「静の字」によって示されている。「見ざらん世までを思ひ掟(おき)てん」（二十五段）ことをむなしいことと見てとってしまった者には、「過ぎにしかた」の体験の深みに降り立つことの方が、確かな生の現実と見えるものである。「何事につけても、過去の恋しさばかりは、何ともしようのないものである」という表現は、そうした確かな過去が、「しづかに思」う時間のうちに理由もなく浮上してくる経験の事実を語ったものと思う。

なき人の面影　ある愛の体験が全きものであればあるほど、その後に続く時間は、愛にとっていたずらに遠ざかりゆく時間というほかない。青春のみが宿しうる愛の夢想の深みに、全き生の充足を体験してしまった者が、「今」をかえりみる時、想い出のみが「今」の生を充たすよすがであることを知る。とくにその対象が「亡き人」である場合には、現実には不可能な愛である故に、想念の世界にのみ息づく想い出として一層深くよみがえるものである。私達の日常心を規制する生活の必要から解き放たれて、孤独な世界に閉じこもることができるのは、何といっても夜の時間である。そうした経験を「人が寝しずまった後、長い夜の慰めに、何ということもない身のまわりの所持品を取り片づけ、残しておくまいと思う書き損じの紙を破り棄てる中に、亡き人の書きちらした文字や興にまかせて書いた絵などを見出した時には、その時のことどもがありありとよみがえってきて、全くその当時そのままの気持がするものだ」と語る。そうした非在の過去が、ささいなことを契機としてつれづれの〝今〟の時に濃密な情感を伴って現前する。兼好は孤独者の想念の不思議にしみじみと「あはれ」をかみしめる。そして読者でしかない現代の私達も、そうした兼好の言葉によって日常心の世界ではとかく忘れがちな想念の深みへと関心をさそわれるのである。

小林秀雄の「無常という事」の結びに、つぎのような有名な文章がある。

心を虚しくして思い出す事

> 思い出となれば、みんな美しく見えるとよく言うが、その意味をみんなが間違えている。僕等が過去を飾り勝ちなのではない。過去の方で僕等に余計な思いをさせないだけなのである。思い出が、僕等を一種の動物である事から救うのだ。記憶するだけではいけないのだろう。思い出さなくてはいけないのだろう。多くの歴史家が、一種の動物に止まるのは、頭を記憶で一杯にしているので、心を虚しくして思い出す事が出来ないからではあるまいか。

兼好がふれようとしたことも、この「心を虚しくして思い出す事」の人間的な「あはれ」ではなかったろうか。その時〝思い出す事〟の対象には〝なき人の面影〟の彼方に想起される『伊勢物語』の主人公達の愛の面影や、『源氏物語』に完璧な面影をとどめた人物の形象も含まれていたに違いない。「過ぎにしかたの恋しさ」の内には、美の軌範としての王朝古典の世界に心をとらえられてしまった作者の体験が息づいていたと思われる。兼好は、引き続いて「人のなきあとばかり悲しきはなし」(三十段)、「今は亡き人なれば、かばかりのことも忘れがたし」(三十一段)といった主題で、人の死後、残された人と死者とのかかわりに思いをいたし、そうした連想の続きに第三十二段が書かれている。

第三十二段　朝夕の心づかひ

九月廿日（ながづきはつか）のころ、ある人に[1]さそはれたてまつりて、明くるまで月見ありくこと侍りしに、おぼしいづる所ありて、案内（あない）せさせて入り給ひぬ。荒れたる庭の露しげきに、わざとならぬ匂ひ（にほひ）、しめやかにうち薫り（かをり）て、しのびたるけはひ、いとものあはれなり。

よきほどにて出で給ひぬれど、なほ[2]事ざまの優（いう）におぼえて、物のかくれよりしばし見ゐたるに、[3]妻戸（つまど）をいま少し（すこし）おしあけて、月見るけしきなり。[4]やがてかけこもらましかば、くちをしからまし。あとまで見る人ありとは、いかでか知（し）らん。かやうの事は、ただ朝夕（あさゆふ）の心づかひによるべし。その人、ほどなく失（う）せにけりと聞き侍りし。

1お誘いいただいて。　2事の様子。　3両開きの戸。　4そのまますぐ戸締りして内にひきこもってしまったならば。

面影として実在する形　文や絵や道具といった物の形は、物の存する限り、「手なれし具足なども、心もなくて変らず久しき」(二十九段)ものであるが、人のなきがらは「けうとき(人けない)山の中にをさめて」(三十段)しまえば、「(故人を)思ひ出でてしのぶ人あらんほどこそあらめ(しのんでくれる人がいるうちはまだよいが)、そも(そうした人も)またほどなくうせて」しまうと、あとかたなく忘れ去られてしまう。僅かに残された墓標も、やがてたがやされて田となってしまえば、そのあとさえなくなってしまう(三十段)のが実情で、それは悲しい運命(さだめ)という他ない。第三十一段と三十二段の内容は、作者の心の内にのみ息づく忘れがたい想い出にふれたものであるが、そこには間接的に兼好の理想的な女人像が語られている。第三十一段は雪の朝、用件があって手紙をやるとて雪のことにふれなかった返事に、雪の情趣を共有することで心のふれ合いをたしかめたい願望をいささか恨みがましく言ってきた女人にまつわる思い出を記したのに対し、第三十二段は月にまつわる一女性の忘れ得ない面影が語られる。雪と月をめぐる話を並べたのは、作者の心にくい用意と言える。

理想のすき人　多くの注釈書は、兼好の実際の経験をしるしたものとしているが、この第三十二段は一編の〝てのひら小説〟と読んでもさしつかえないのではなかろうか。安良岡康作氏(『全注釈』)は、この段は、同じく故人となった女性の、いまも心に残る印象を述べているのであるが、さまざまな点で、前段と対照される。即ち、前の段の「雪」に対してここでは「月」を、また「朝」に対して「夜」を、あるいは、「文のことば」に対して、「月見るけしき」を描き出しているし、前段の、便りの交換という静的な事実に対しては、ここでは、月下の宿への訪問を事件的に叙している点に、動的、物語的興趣を漂わせている。

と指摘している。月見に興ずる貴人が、ふと思い出された女人を訪ねる情景は、現実のものというよりは、月の光に誘発された理想のすき人の面影を描き出した文章と言える。「荒れ果てた庭」「特に用意したとは思われない香の匂い」がかもし出す「しのびたるけはひ」(人目に立たないようにひっそりと住んでいる様子)も、兼好が理想とする住居の様であり、女人と月の情趣をわかち合うすき心も、作者の理想とする交情のあり方だったのである。そのことが「ものあはれなり」という言葉で語られる。

「優におぼえ」るふるまい　月をめでる心をわかち合って「ほどよい時間で女の部屋を立ちさられた」貴人のふるまいにふさわしく、女主人公も客を見送った後、「妻戸をもう少し押し開いて」、そのまま「明くるまで月見ありく」人の心をたしかめるようにして「月にながめ入る」女人の心づかいは、礼儀作法のたしなみというよりは、文字通り「つね日頃の心がけ」によるものであった。みせかけの虚飾にとらわれないで、心のままに茂る草木の露を愛し、自らのために香をたいてもののけはいを静かに味わう「朝夕の心づかひ」が、そのまま客を見送った後の「月見るけしき」につながっているところに兼好は感動をもよおすのである。そうした一人ずまいの女性のもとにしのんで通うことが、兼好の理想とする男女関係であった。このことは、第百九十段の記述からも知られる。そこで兼好は「妻(め)といふものこそ、をのこの持つまじきものなれ」という。その段では男に依存しきってしまった女、夫だけを「あが仏」と大事に思って仕える女、まして家政をたくましくきりまわしてゆく女や、子供を大勢生んで養育にかかりきりの女にいささか辟易(へきえき)の情を覚え、「いかなる女なりとも、明け暮れ添ひ見んには、いと心づきなく（気にくわず）、憎かりなん」と述べる。そして女人との関係は「よそながら時々通ひ住まんこそ、年月経ても絶えぬなからひ（間柄）ともならめ」というように、兼好はみやびを共有できる性愛こそが理想の男女関係であるとする立場をとる。この段にみる女人像はそうした理想のかげを追ったものと言える。

男女のあいだがら

冨倉徳次郎『類纂評釈徒然草』によれば、「趣味論者としての言説」の項目中に「恋愛について」の小項目をあげ、第三段・八段・九段・三十一段・三十二段・三十六段・三十七段・百四段・百五段・百七段・百九十段・二百四十段の諸段を類纂している。第百九十段にふれたついでに第百七段の内容の概略にふれると、兼好はここでも男女関係の機微を問題にし、「女のなき世なりせば、衣文も冠もいかにもあれ、ひきつくろふ人も侍らじ」と女の目を意識しないではいられない男の内面をつき、「すべて、をのこをば女に笑はれぬやうにおほしたつ（育てあげる）べし」と言われている処世訓に同感を示す。しかし、そのように男性に心をつかわせる女性なるものは、男の幻想に美化されたみかけと相違して、その本性は我執が強く、貪欲で、道理にくらく〃愚劣な面が多いと看破する。そうした「女の性(しやう)」を知った上で、「ただ迷ひ（女の言動が呼びさます迷妄）を主(あるじ)としてかれに随ふ時（女の魅力のとりこになりきる時）、（女は男にとって）やさしくも（優艶なものとも）、おもしろくも覚ゆべき事なり」と主張する。こうした醒めた認識を語る一方で、兼好は、この段にみるような優しい女性の面影を夢想しないではいられなかった。

物語体験と女人幻想　第三十二段についても、その原拠として『枕草子』（三巻本）の「ある所に、何の君とかやいひける人のもとに、云々」の段をあげる説が行なわれているが、こうした女人幻想を語った章段として、第百四段と百五段があげられる。第百四段の話も第三十二段と同じように「荒れたる宿」に「つれづれと籠り居たる」女を或人が「夕月夜のおぼつかなき程」に忍んで尋ね、一夜をすごす話である。ここでも急に準備して焚いたのではない香の匂いが語られ、しめやかな交情と別れのさまが描かれる。第百五段も同様に、北の屋陰に残雪が白々と光る冬の暁に、有明の月をながめて語り合う男女の様を描き出し、作者は、ここでも「えもいはぬ匂ひのさと薫りたる」雰囲気に感興をそそられた思いをのべる。こうした匂いによせる幻想の根源には、兼好が職業人として書写したり、読書人として愛読した『源氏物語』や『枕草子』の言語体験があったことは、修辞上の影響関係からも明らかである。兼好が語った理想の女人像は、そうした言語体験によって培われた想像力によってつむぎ出された虚構だったのである。兼好には、そうした虚構の真実性だけが、無秩序な現実の猥雑さを照らし出す唯一の光源と考えられた。

第三十八段　万事は皆非なり。言ふにたらず、願ふにたらず。

[1]名利に使はれて、閑かなる暇なく、一生を苦しむるこそ、愚かなれ。財多ければ身を守るにまど[2]し。害をかひ、累を招くなかだちなり。身の後には金をして北斗をささふとも、[3]人のためにぞわづらはるべき。愚かなる人の目をよろこばしむる楽しみ、またあぢきなし。大きなる車、肥えたる馬、金玉の飾りも、心あらん人は、[4]うたて愚かなりとぞ見るべき。[5]金は山に捨て、玉は淵に投ぐべし。利にまどふは、すぐれて愚かなる人なり。

1名誉欲や利欲。　2まずしと同じで、おろそかになるの意。　3財産を残された関係者の紛争の種となって、煩わしい思いを与えるにちがいない。　4ひどく。　5『文選』東都賦「金を山に捐て、珠を渕に沈む」

埋もれぬ名を長き世に残さんこそ、あらまほしかるべけれ。位高く、[1]やんごとなきをしも、すぐれたる人とやはいふべき。[2]愚かにつたなき人も、家に生れ時にあへば、高き位に登り、奢を極むるもあり。[3]いみじかりし賢人・聖人、みづから賤しき位にをり、時にあはずしてやみぬる、また多し。ひとへに高き官・位を望むも、次に愚かなり。

智恵と心とこそ、世にすぐれたる誉も残さまほしきを、つらつら思へば、誉を愛するは、人の聞をよろこぶなり。誉むる人、そしる人、共に世に止まらず、伝へ聞かん人、またまたすみやかに去るべし。誰をか恥ぢ、誰にか知られん事を願はん。誉はまた毀の本なり。[4]身の後の名、残りてさらに益なし。これを願ふも、次に愚かなり。

1 高貴な。 2 能力の劣る人。 3『文選』巻二十二、「山巨源に与へて絶交する書」の中に「老子・荘周は吾の師なり。親ら賤職に居る。柳下恵・東方朔は達人なり、卑位に安んず」とある。 4『晋書』張翰伝「我をして身後の名あらしむるよりは、しかず即時一盃の酒」。

ただし、しひて智をもとめ、賢を願ふ人のために言はば、[1]智恵出でては偽りあり。才能は煩悩の増長せるなり。伝へて聞き、学びて知るは、誠の智にあらず。いかなるをか智といふべき。[2]可・不可は一条なり。いかなるをか善といふ。[3]まことの人は、智もなく、徳もなく、功もなく、名もなし。誰か知り、誰か伝へん。これ、徳を隠し、愚を守るにはあらず。本より賢愚・得失の境にをらざればなり。

迷ひの心をもちて名利の要を求むるに、かくのごとし。万事は皆非なり。言ふにたらず、願ふにたらず。

1『老子』「大道廃れて仁義あり。智恵出でて大偽あり」。 2『荘子』斉物論「方に可なれば方に不可、方に不可なれば方に可なり。是に因れば非に因り、非に因れば是に因る。ここを以て聖人は由らずして、これを天に照らす」、同徳充符「老聃いはく、なんぞ直ちに彼の死生を以て一条となし、可不可を以て一貫となす者をして、その桎梏を解かしめざる。それ可ならんかと」。 3『荘子』逍遙遊「至人は己れなく、神人は功なく、聖人は名なし」。

金言佳句の引用　すべての注釈書がふれているように、この一段はほぼ全文にわたって出典が指摘されている。試みに安良岡康作氏（『全注釈』）によると、「名利に使はれ」は、「出典とするには躊躇される」としながら『寒山詩』の中の「一向に本心を迷はしめ、終朝名利に役せらる」をあげ、「財多ければ身を守るにまどし」の句は、『寒山詩』の「貧人好んで財を聚む。あたかも梟の子を愛するがごとし。子大にして母を食ふ。財多ければ命殆し」が参考にあげられ、「害をかひ、累を招く」の語句の出典には、『文選』「鷦鷯賦」中の「これこの禽の無知にして、何ぞ身を処するの智に似たる。宝をいだいて以て害を買はず、表を飾りて以て累ひを招かず」があげられ、「身の後には金をして北斗をささふとも」の句の出典には、『白氏文集』「勧酒」中の「天地は迢々として、自ら長久。白兎赤烏相趁ひて走る。身の後には金を堆くして北斗を拄ふとも、生前一樽の酒にはしかず」の詩句によるとされている。以下主要な出典は注に記したが、このような出典の指摘は、近世の注釈書に一層くわしくふれられている。もちろんそのすべてを原典からの引用と考える必要はなく、世上に行なわれていた金言に基づいて書かれたとする方が穏当と思われる。いずれにせよ、平安時代の中期から行なわれた金言集は、諸典籍の成句を広く抄録しており、そうした金言佳句が説話や説法にもとり入れられたため、原典を離れて一般化していたと思われる。このことは、『沙石集』や『太平記』に引かれている故事成句類のおびただしさからも推察できる事柄である。

引用による思考　この段にみられるような反常識の思想は、『荘子』や『老子』の言葉によらなければ明確に対象化できなかったに違いない。兼好にとって現実離脱者となることは、山中に隠栖することでなく、現実の制度の外に観念の拠点をかまえて、そこから制度化された現実をとらえなおす視点を獲得することであった。そうした拠点は、言葉の存在領域に確保するほかない。そのため、叙述が抽象的・観念的になるのは当然である。しかもその言葉が故事成句として行なわれていた古典の引用であるということは、そうした言葉の枠組によってはじめて構築しうる思想であったからである。思想の言葉は何もオリジナルである必要はなく、人の心の深みにとどく言葉であれば、たとえそれが用いふるされた言葉であったとしても、思想としての価値をそこなうものではない。日本の思想史の上で、中世がことさらに問題視されるのは、学問の領域や認識の方法として思想をとらえなかったところにある。伝統の言葉をそのまま受けいれることによって思想を生きようとしたところにかえって新しい思想家が生まれたのである。兼好は、浄土教思想の根拠とされた『無量寿経』の第十八願の言葉や、日蓮における『法華経』といったような究極の拠り所となる言葉を持つことはなかったが、現実の制度にしばられた生き方を照射し、現実を相対化する拠り所とした言葉を自由にとりこんだ。

名利をよそにした生き方　私達が生を営む現実は、生活上の機能的な便宜のためにつくりあげた分業組織に組みこまれることを余儀なくされている。しかも、この分業組織は、横の連帯で結ばれずに、ピラミッド的な職制内における出世競争と企業集団の利益追求競争に発揮される欲望を原動力にして維持されている。そこでは必然的に共通の利害関係と個別の競争関係とが生きる場の力関係を構成する。そうした現実を正当化するための拠り所が、地位や名誉であり、能力や権威である。地位の上下や能力の大小、権力の強弱が人間の価値を決定する標準であるとする考え方から、ほとんどすべての人は解放されていないと言える。兼好は、そのような社会を生きるかぎり、人は名誉欲と利欲から自由ではありえないと認識し、生の原理を老荘思想のうちに見出そうとした。それは老荘思想というよりは、主として『荘子』に見える言葉を拠り所に、世俗の力関係が人に強いる観念から身をふりほどこうとした。

賢と愚　この段の内容は、第十八段の「人は、おのれをつづまやかにし、奢りを退けて、財を持たず、世をむさぼらざらんぞ（世間的な名誉や利益をむやみに求めないのが）いみじかるべき。昔より、賢き人の富めるはまれなり」と関連がある。唐土（もろこし）の許由とか孫晨といった賢者に対し、世俗人の愚かしさにふれ、本来の賢者のあり方をさぐるのが本段の趣旨であった。このことは、内容の構成に明らかである。冒頭の一文で名聞や利欲のために「閑かなる暇」を失う愚かさを序説し、次に「身を危くし、煩わしさをまねく契機となる」必要以上の蓄財や「愚かなる人の目」を驚かすための虚飾に財を消費することの愚かさを説き、まず利益に心をうばわれて生きることを「すぐれて愚かなる人」の所業であると決めつける。そして第三節で名声にこだわり、官位を望む人を「次に愚かなり」とする。さらに一般には賞揚される智徳の名誉も、死後の栄誉を願うことも愚かなことであると否定する。そうした否定の理由は、人の評判を気にし、他人の心に映る自分を意識する対他志向の虚しさにあった。地位とか名誉とかを人と比較し、競争することの愚かさを知ることが、本当の賢者であると兼好は主張する。

真に自己自身を生きる人　「才能は煩悩の増長せるなり」の言葉については、古注・新注ともにすべて直接の出典をあげてない。この言葉は「すべて人は、無智無能なるべきものなり」(二百三十二段)といった言葉とも共通し、一見「才能」を否定する思想ともうけとられるが、一般論として才能を否定したのではなく、「しひて智をもとめ、賢を願ふ」能力の競争主義もしくは才能のひけらかしを否定し去った言葉と解すべきであろう。知識をあたかも財物のように蓄え、博学多識を人に誇り、賢者の評判を求めて学問することは、真の知者のすることではないと兼好は主張したのである。「賢愚・得失を比較するような境地」を脱した場所で、本然の性を生きる者にとっては、社会的な評価も世間的な評判も問題にならないわけで、そうした比較を絶した自己価値を生きることが、真の知者の才能と言える。それは世俗的な見方からすれば「無知無能」と見えるのが当然である。

万事は皆非なり　兼好は、名誉や利益のためになされるすべてを人間本来の願いからそれた邪路であると否定する。それでいて兼好自身は、和歌や書や学問の道で才能を磨くことを願わないではいられない人間であった。しかも学問・芸道における精進努力が名誉や利益を求める煩悩を原動力としていることを十分に自覚していたと思われる。業績主義や能力主義に根ざす文化的所産が、必ずしも人間に心の豊かさや生の充実感をもたらすものでないことを知っていた。「迷ひの心をもちて」名利のために求められた学問や技能は、人間の本来の面目を見失わせ、人間性をおしゆがめる「非」なるものであると認識した時、兼好は「万事は皆非なり。言ふにたらず、願ふにたらず」と断言せざるを得なかった。

第四十四段　都の空よりは雲の往来もはやき心地して

[1]あやしの竹の編戸(あみど)のうちより、いと若き男の、月影に色あひさだかならねど、つややかなる狩衣(かりぎぬ)に、濃(こ)き指貫(さしぬき)、いと故(ゆゑ)[2]づきたるさまにて、ささやかなる童(わらは)ひとりを具(ぐ)して、遥(はる)かなる田の中の細(ほそ)道を、稲葉(いなば)の露にそぼちつつ分け行くほど、笛をえならず吹(ふ)きすさびたる、あはれと聞き知(し)るべき人もあらじと思(おも)ふに、行かん方知らまほしくて、見送りつつ行けば、笛を吹きやみて、山のきはに惣門(そうもん)[3]のあるうちに入りぬ。榻(しぢ)[4]に立てたる車の見ゆるも、都よりは目とまる心地(ここち)して、下人(しもうど)に問(と)へば、「しかしかの宮のおはしますころにて、御仏事など候(さうら)ふにや」といふ。

御堂の方に法師ども参りたり。夜寒の風に誘はれくる[5]そらだきものの匂ひも、身にしむ心地す。寝殿より御堂の廊に通ふ女房の[6]追風用意など、人目なき山里ともいはず、心づかひしたり。

心のままに茂れる秋の野らは、置きあまる露に埋もれて、虫の音かごとがましく、遣水の音のどやかなり。都の空よりは雲の往来もはやき心地して、月の晴れ曇ることさだめがたし。

1粗末な。　2由緒ある家の風格がそなわっている。　3外構えの正門。　4牛車のながえの端を支えるための台。　5どこからともなく香りがするように焚いてある香。　6通ったあとに匂いがただようように衣服にたきしめた香。

幻境を楽しむ心　この段は言葉による〝月光の曲〟と言える。秋の冷え冷えと冴えた月光のもとで粗末な竹の編戸のうちより出て山荘へと消えてしまう男は、兼好の理想の青春像を分有する月の精ではなかろうか。作者は、「遠く続く田の中の細道を、稲葉に結ぶ露に濡れながらたどり行く」由緒ありげな若い男に笛を吹かせて、幻の月光の曲に聞きいる。そこから聞えてくる音色のうちによみがえる面影は、兼好自身の青春の想い出であると共に、古代貴族文化の伝統に培われた美意識の結晶でもあった。第十一段でもそうであるが「遥かなる田の中の細道を」露にぬれながら分け行く面影は、「遥かなる苔の細道を踏みわけて」ゆくのと同じで、その「細道」は王朝の美意識の幻境へとたどり入る想像力の通路なのである。王朝の美意識にみずみずしい感受性を養った青春の夢想が、書く行為に伴って脳裡によみがえってくることの楽しみを、さらに言葉に凝集する時、このような文章がもたらされたと思われる。

青春の感受性をいとおしむ心

『徒然草』のなかで「若き男」が登場する章段は、この他に、前段の第四十三段と百五段とがある。第四十三段が「春の暮つかた」、本段が「夜寒の風」が吹きわたる秋の月夜、第百五段が「北の屋かげに消え残りたる雪の、いたう凍りたる」冬のあかつきといったように、夏を除く四季に配置され、それぞれ「のどやかに艶なる空」「都の空よりは雲の往来もはやき心地して、月の晴れ曇ることさだめがた」き空、「有明の月さやかなれども、くまなくはあらぬ」空のもとに、廿歳前後の若い男の面影が描き出されている。こうした「空の名残」(三十段)を惜しむ心は、四季折々の空の情趣だけが対象とされているのではなく、遙かな空の彼方に反時代的な王朝のみやびと青春の無垢な感受性を夢想する心が働いていたに違いない。「木立ものふりて、庭に散りしをれたる花、見過しがたき」(四十三段)晩春の情景にたたずみ、「心のままに茂れる秋の野らは、置きあまる露に埋もれて」、過ぎゆく秋の季節を恨むように鳴く虫の音や遣水の音に耳を傾ける語り手の位置は、「愁人の為にとどまること少時も」しない時の流れに身を置いて、しばらく「心なぐさむ事」(二十一段)をはかろうとする試み以外の何物でもなかった。

よき人の面影

以上の諸段に登場する人物は、第四十三段では「いやしからぬ家の」「とし廿ばかり」の「かたちきよげなる男」が読書に時をすごし、本段では「いと故づきたるさま」の「いと若き男」が笛を吹きすさびつつ山荘をたずねるところとして、そして百五段では「なみなみにはあらずと見ゆる男」が女としめやかに語り合う場面として描かれる。このような場面に登場する男は「はふれにたれど、なほなまめかし(おちぶれてしまっていても、優雅である)」(一段)といえるような高貴さを身に備えた者に限られているのである。それでいて「南面の格子みなおろして、さびしげなる」(四十三段)邸の住人であったり、「あやしの竹の編戸のうちより」出てくるような生活的には貧しげな人であったり、「人ばなれなる御堂の廊に」「尻かけて、物語する」(百五段)ような質朴なくらしぶりを連想させるように描出されている。兼好が理想とした「よき人」は、一般に「身分もあり教養もある人」と説明されているが、こうした高貴な身分を理想とする心は、本質的には身分への憧れではなく、身分や地位を他人と比較して得意げにふるまったり、卑屈になったりする心の働かせ方から解放された本質的な高貴さへの志向を意味していたと思われる。そうした「よき人」の面影が、以上の三段に描き出されたわけであるが、それは作者の見聞の描写というより、兼好が心に宿した美意識の形象化と見るべきではなかろうか。とくに前段とこの段とでは、いろいろな面で対比的に構想されているのは、意識的な試みであることを証している。

反世俗の美的ユートピア　聞く人もいない笛をただ一人吹きすさび行く若い男に導かれてたどり着いた「人目なき山里」の山荘には、夜の幻想にふさわしい美的調和の世界が繰りひろげられる。「榻に立てたる」牛車から想像される高貴な人の面影、燈明がほのかにもれる御堂、夜の仏事が行なわれようとする晴れがましい緊張のひとときを、堂に上るために低声で経をとなえつつ静かな足どりで廊をすぎてゆく僧列のあとに、どこからともなく匂う「そらだきものの匂ひ」、その後「追風用意」の身だしなみをした若い女房が「寝殿より御堂」へと続く廊を、仏事の進行につれて行き来する優美な姿を書きそえる情景描出は、「いと若き男」の面影が加わることで、清艶な趣をかもし出す。そうした笛を吹きすさぶような若い男と追風用意の心遣いをした若い女房が、晩秋の山荘の月夜に仏事で席を同じくする場面を構想する作者の心には、うしなわれた青春への想い出がこめられていたのではなかろうか。「都の空よりは雲の往来もはやき心地して、月の晴れ曇ることとさだめ」がたい空の面影は、たしかに「都郊外の山裾の気象を捉えて印象的である」(佐々木克衛『徒然草講座』第二巻)とも言えるが、前段の「春」の「のどやかに艶なる空」に対する「秋」の本情を空に見出した表現とも受けとることができる。そして、そこには人生の秋を生きる作者が、ふと夜寒の風に身をさらした時の、覚醒にうながされた心の動きが読みとれる。人生の青春の〝明〟と老年の〝暗〟、夢想と覚醒との間に揺れ動く心のあり方がそのまま「晴れ曇ることとさだめがた」い空に投影されているのである。いずれにせよ、前段と本段は「世づかず、めでたき」(二十三段)反世俗の美的ユートピアを形象化した一段と言えるのではなかろうか。

第四十五段　人、「榎木僧正」とぞ言ひける

公世の二位のせうとに、良覚僧正と聞えしは、極めて腹あしき人なりけり。坊の傍に、大きなる榎の木のありければ、人、「榎木僧正」とぞ言ひける。この名しかるべからずとて、かの木を伐られにけり。その根のありければ、「きりくひの僧正」と言ひけり。いよいよ腹立ちて、きりくひを掘り捨てたりければ、その跡大きなる堀にてありければ、「堀池僧正」とぞ言ひける。

1藤原公世。歌人で従二位に叙せられた。　2天台宗の大僧正で歌人。　3怒りっぽい人。

伝聞の記述　この話は何を意図して語ったものか、本文の記述からは不明である。そればかりでなく、榎木僧正・伐株僧正・堀池僧正と三度まであだ名をかえて呼ばれた人物が良覚僧正よりほぼ百年程昔に仁和寺に実在したらしいので、兼好が別人の伝承を比較的に近い時代に没した延暦寺の大僧正良覚のこととして記述した理由もまた不明であるという他ない。そうしたことから、全体が伝聞の記述か、もしくは兼好の創作かといった問題がひき出されるが、橘純一氏が『新註つれづれ草』で指摘した『仁和寺諸師年譜』の記述による限りでは、信証僧正の逸話を良覚僧正のこととしただけで、ほぼ伝聞そのままの記述と言えそうである。『仁和寺諸師年譜』には、「寺門の傍に大榎あり。これによりて榎木の僧正と称す。僧正これを忌みてその木を伐る。世また伐株の僧正と称す。またこれを嫌ひてその根を掘る。世また堀池の僧正と称す。つひに以て称号となす」(原漢文)とある。この話を良覚僧正のこととした責任が誰にあるかは不明という他ないが、兼好はこの伝聞に深い興味を持ち「極めて腹あしき人」の異常な情念を描き出したことだけは明らかである。

古注と新注の違い

「公世の二位の兄弟で、良覚僧正と申しあげた方は」という語り出しは、従二位の顕位にまで昇進した公世の名の方が世俗に通用していたからであろう。そうした名門出身で大僧正の地位にまでのぼった高僧が「極めておこりっぽい人となり」を如何ともなし得なかったという話は、単なるあだ名にまつわる奇聞をこえた人間批評となりえている。古注の注者は、この批評に道徳の立場から応じたため、良覚僧正に愚行の主役をわりあて、「この段は怒るまじきことにいかれる僧正の事を云ひて、なべての人の怒りを制せん為なるべし」(『徒然草句解』)、「この段、腹のあしき事をいましめたる段なり」(『徒然草貞徳抄』)、「それ人はその徳によるぞ、何ぞ名によらん。名が悪しきとて榎木を切らんよりは何ぞ心をたしなみて善をば求めざるぞ」(『徒然草諸抄大成』)といった教訓をひき出してしまった。そうした古注に対し、新注の評者は、ほぼすべての人が滑稽話と受けとめ、「そのかもすユーモアを感じとるべきである」(松尾聰『徒然草全釈』)というように批評し去ってしまった。しかし、それでは作者があだ名にまつわる伝承のなかに鋭く見てとった人間批評の内容が素通りされてしまううらみが残るのである。あだ名をめぐる良覚僧正と世人の立場をちぐはぐな対立として鋭く描き出した筆致の裡には、教戒や滑稽をこえた深い洞察が読みとれないだろうか。

超俗と不条理

世人が良覚僧正の坊の傍にある巨木に目をとめて「榎木僧正」と呼んだ呼称に

は悪意も滑稽も感じとれない。それは世人の無知な善意がこめられた異名というべきものである。良覚僧正のすぐれた学徳のなかみを知るすべもない一般世人が、大僧正の地位にまでのぼった偉い坊さんを巨木の榎木に比して敬愛の意を表したにすぎない呼称を、「この名は不都合だといって、その木を切ってしまわれた」僧正の怒りは、その徹底ぶりにおいて超俗であり、その一途な偏狭さは、〝良覚〟（良き覚者）の名の意味するところと極めて齟齬する。兼好は、呼称にこれほどまでにこだわる良覚の偏固さと自らの誇りを守り抜こうとする一途な情念に共感を寄せる視点に立つ時は、僧正の行為の表面だけを見て、敬愛から揶揄へと無定見に態度を変じてゆく民衆の軽薄な無責任さを批判し、民衆の視点をとりこむ時は、世評にこだわり、むやみと腹を立て理不尽な行動に出る僧正の人間的な弱点を強調するような文章を同時に実現してしまう。一言の批評もさしはさまない記述が、そのことでかえって豊かな批評精神を内蔵しているといった体の文章を実現することは非凡な力と言わねばならない。

鈍刀を使って彫られた名作

この第四十五段の記述態度と共通する章段に第四十段がある。

因幡国に、何の入道とかやいふ者の娘、かたちよしと聞きて、人あまた言ひわたりけれども、この娘、ただ栗をのみ食ひて、更に米のたぐひを食はざりければ「かかる異様（ことやう）の者、人に見ゆ（結婚する）べからず」とて、親許さざりけり。

〝これで全文である〟。この段に関しても古注は道徳上の問題としてあげつらってきたが、近代の注者の大方は「要するにただちょっと変った面白い話を書いたに過ぎない」といったような珍談説で一致していた。それを小林秀雄は『無常という事』の中であえて珍談説を斥け「鈍刀を使って彫られた名作」と賞揚した。この一言が刺戟となって新しい研究者のさまざまな批評をよびさましたが、この話も美貌の噂だけを聞いて求婚する世人の無責任な言動と、偏食という実生活上の切実な不便を知りぬいた親の確固とした判断を、百字余りの文章中に無駄なく取りこみ、そうした対比において開かれた批評を読み手にゆだねてしまったところに兼好の文章の魅力が存したと言える。兼好は中途半端な自己主張を排除することで、事実の論理に支えられた新しい批評の文体をもたらした。説話的な発想の枠どりは、そうした批評精神が積極的にとりこんだ様式であったのである。

第四十八段　有職の振舞、やんごとなき事なり

光親卿、院の最勝講奉行してさぶらひけるを、御前へ召されて、供御[1]を出だされて食はせられけり。さて食ひ散らしたる衝重[2]を、御簾の中へさし入れて罷り出でにけり。女房、「あな汚な、誰にとれとてか」など申し合はれければ、「有職の振舞、やんごとなき事なり」と、返す返す感ぜさせ給ひけるとぞ。

1上皇・天皇・皇后・東宮などの食事。　2食器をのせる三方のような台。

中性化された批評　この段についても「この話を書いた趣旨はどこにあるか分からない」（武田祐吉『徒然草新解』）とする説が一般的である。それというのは、食い余した食事を衡重にのせて、そのまま上皇の御簾の中へさし入れた光親の行為が、何故に上皇から「有職の振舞、やんごとなき事（りっぱな事）なり」とほめられたのか、その理由がいまだにはっきりしないからである。ここに書かれていることは、光親卿の行為に対する女房と院との正反対の批評だけである。女房達は食いちらした食事のあとを日常的な感覚でとらえて「まあきたない。誰にかたづけさせるつもりなのだろうか」と非難の声をあげたのに対し、後鳥羽院は有職の振舞として深く感嘆なされたとしるされているだけであって、作者は一言の批評もさしはさんでいないのである。こうした表現を可能にするものが強靱な批評精神そのものであって、そうした中性化された批評精神を支えとして徹底した観察者の地平に語り手として降り立ったところに、『徒然草』の説話的章段とよばれる文体の達成が見られたと言える。

光親卿と院との関係　この段は第一文からして問題的である。光親は最勝講の奉行をつとめるべく心用意して伺候したにもかかわらず、院はわざわざ光親を御前に召して、自分のための食事を光親に「食はせられ」たというのである。この一行には、後鳥羽院の不自然な行為がさりげなく語られており、院の光親を試そうとする下心がのぞけるようである。この段の内容と直接関係はないが、院と光親との悲劇的な対立は、当時の人々に周知の伝承であった。『承久軍物語』によれば、光親は承久の乱の際、勅命で征討の宣旨を書いたため、乱後に幕府方が要求した謀反人名簿の筆頭に院の指名でしるされ、ついに富士山麓で首をはねられるといった運命をたどった。ところが処刑後に、数十通に及ぶ院に対する諫状が発見され、鎌倉方も光親の処刑を悔んだという話である。そうした光親と院との対立をことさら前提にしなくても、「食はせられけり」といった表現には、院の側からする押し付けが読みとれるのである。院が「供御」を光親に食わせるといった態度に出たところに事の発端はあり、院の行為を受けて振る舞った光親の身の処し方が問題となるのである。

女房の視座と批評　光親は院の命令を見事に受け流してしまった。「供御」をたまわった光栄に恐縮することもしなければ、院におもねることもなく、「むぞうさにあれこれと箸をつけてそれを衝重(ついがさね)にのせて院の御簾の中にもどし、そのまま退出してしまった」というのである。その時、二人の男の間に見えない火花が一瞬とびかったにもかかわらず、女房には光親の行為の意味が全くのみこめなかった。それで通常の食事作法を根拠に光親の行為を非難した。光親自身も、自分のしたことが通常の食事作法に反していることは十分承知の上で仕方なく振る舞った対応でしかなかった。したがって後で院からおとがめを受ける覚悟はしても「有職の振舞」と賞讃されようとは予期しなかったに違いない。しかし、『徒然草』本文から読みとれることは、光親の行為を通常の作法と常識的な感覚でとらえて「あな汚な」と非難した女房の言葉と、女房の非難を斥けて「有職の振舞」と称揚した院の見方の見事なくい違いだけであって、語り手の批評は一言もさしはさまれていない。

話の趣旨　第九十四段には、光親と反対に通常の礼法に従って行動した北面の武士がそのために免職にされてしまう話が採られる。話の概要を現代語訳で紹介すると、「常磐井の太政大臣が出仕なさった折に、勅書を持った北面の武士と道で偶然出逢った。武士は日常作法に従い下馬の礼をとって大臣に敬意を表した。ところが、後で大臣は『このような者がどうして主君にお仕えすることができようか』と上皇に申し上げたところ、上皇はこの北面を免職にされてしまった」という話である。この話には、「勅書を馬の上ながら、ささげて見せたてまつるべし。下るべからずとぞ」といった故実の根拠が語られているので事のてんまつは明らかである。この段の光親も勅書を持った北面になぞることができる。しかし光親の場合は、事の本末を誤らなかったために常識的な非礼が故実にかなった振舞としてほめられたわけで、そこには故実を不定形な感覚の論理でとらえなかった兼好の立場がうかがえるのである。この光親の場合、「食ひ散らしたる衝重」の部分は、どのような故実にも該当しない行為だったに違いない。この部分の表現に関しては、古注がふれるように「光親が最勝講の奉行をつとめることを第一の大事と考えたため、供御を食いちらしたまま急いで退出した」と解する方が自然である。院も奉行のつとめを専らにした光親のふるまいを、『全注釈』に引かれている「陪膳なき時は、我持ちて出づまじき程の人は、本の方へ返すとなむ」(『左大史小槻季継記』)といったような故事にあえて当てはめて賞讃したにすぎないと思われる。兼好にとって故実とは、人により事によって最も適切に情況を処するための原則に過ぎなかったようである。

第五十三段　たとひ耳鼻こそ切れ失すとも、命ばかりはなどか生きざらん

これも仁和寺の法師、童の法師にならんとする名残とて、おのおのあそぶ事ありけるに、酔ひて興に入るあまり、傍なる足鼎を取りて、頭に被きたれば、つまるやうにするを、鼻をおし平めて、顔をさし入れて舞ひ出でたるに、満座興に入る事かぎりなし。

しばし[1]かなでて後、抜かんとするに、大方抜かれず。酒宴ことさめて、いかがはせんとまどひけり。とかくすれば、頸のまはりかけて、血垂り、ただ腫れに腫れみちて、息もつまりければ、打ち割らんとすれど、たやすく割れず。響きて堪へがたかりければ、かなはで、すべきやうなくて、三足なる角の上に、帷子をうち掛けて、手をひき杖をつかせて、京なる医師のがり、率て行きける道すがら、人の怪しみ見る事限りなし。医師のもとにさし入りて、向ひゐたりけんありさま、さこそ異様なりけめ。物を言ふも、くぐもり声に響きて聞えず。「かかることは文にも見えず、伝へたる教へもなし」といへば、また仁和寺へ帰りて、親しき者、老いたる母など、枕上に寄りゐて泣き悲しめども、聞くらんとも覚えず。

かかるほどに、ある者のいふやう、「たとひ耳鼻こそ切れ失すとも、命ばかりはなどか生きざらん。ただ力を立てて引き給へ」とて、藁のしべをまはりにさし入れて、かねを隔てて、頸もちぎるばかり引きたるに、耳鼻欠けうげながら抜けにけり。からき命まうけて、久しく病みゐたりけり。

1 舞を舞って。 2 危い命。

逸る心の危うさ 人は「事に触れて来たる」心（百五十七段）や「物に動」く心（百七十二段）をとどめがたい。第百七十二段では、とくに若者が「すきなことに心が引かれて」身を誤ることの多いことを指摘し、「若き時は、血気うちに余り、心、物に動きて、情欲多し」と語る。そのなかで特に勇みはやる心の危うさを力説しているが、この段の主題も「物に動」く心の危うさと不毛さ、そして、物に動く心とは無関係に働く「事の理」との滑稽なまでの乖離を語るところにあったと考えられる。稚児がそれまでの俗体に別れを告げて、法師姿になろうとするのを惜しんで、稚児を中心にして僧たちが酒宴を催した時、僧達はこの時とばかり得意芸を競いあって披露する仕儀となってしまった。そこにすでに物に動く心の危うさが胚胎していたのである。「おのおのあそぶ」という表現には、稚児への個人的な関心と、芸をきそいあおうとする心がたくまずして的確にとらえられ、その表現の背後に、僧たちをして自己顕示の心理へとエスカレートしてゆく事態の機微が見すかされる。そこへ酔ひが手伝い、人の意表をつく思いつきに見さかいなくのめり込んでゆくといった事態をまねいてしまう。

事の道理の見え難さ　お互いに趣向を競いあう内に、傍にあった足鼎をかぶって舞を舞ってみようとする僧が登場する。ところがその鼎を頭にかぶろうとすると耳や鼻につかえてうまく行かなかった。それをあえて「鼻をおし平めて、顔をさし入れて」しまったというのである。この時すでに鼎がただでは抜けないという事態は完了していたわけである。しかし、そうした事の道理に全く気づかない一座の人々は、悲惨な状況にすでに落ちこんでいる僧の珍妙な舞姿に夢中になってしまう。その時、僧たちが合唱した歌謡は次のようなものではないかと木藤才蔵氏は推測する（日本古典集成『徒然草』）。「我を頼めて来ぬ男、角三つ生ひたる鬼になれ　さて人に疎まれよ　霜雪あられ降る水田の鳥となれ　さて足つめたかれ　池のうきくさとなりねかし　と揺りかう揺られ歩け」（『梁塵秘抄』）。抜けるはずのない鼎をかぶってしまった悲劇を背負った人間が有頂点になって「揺られ歩」く図柄は、生死の到来を目前にしながら、日々をうかれて生きる人間の生き様を象徴するかのようである。

単純な事実から目をそらす心　人々は舞い終って鼎を抜きとろうとした時はじめて、「鼻をおし平めて、顔をさし入れ」た行為の結果を思い知る。しかし現実の事態を正面から見つめることはできない。そこで姑息な手段を弄し、何の成算も持たずに鼎をいじりまわし、事態を一層悪化させてしまう。その経過を作者は「頸のまはりかけて」→「血垂り」→「腫れに腫れみちて」→「息もつまり」というように具体的な事実の観察に徹した目で追ってゆく。本人に苦痛を与えないですむような解決法などどこにもあり得ないのに、中途半端な試みを繰り返しては安易な同情心にまけて止めてしまい、最後に医師のもとにつれてゆく。医者を尋ねたところでどうなるわけでもないのに、どうにかなるような期待に一縷の望みをつなぐことで事態を回避しようとする世人一般の弱点が辛辣な筆致で描かれる。酒宴の座では人々の拍手喝采をうけた鼎姿が、日常の場ではいかに醜態に見えるかということを、往来の人の目をかりて表現し、さらに医師とまともに向かいあった時のぶざまな滑稽さを「向ひゐたりけんありさま、さこそ異様なりけめ」と作者の立場からの想像をさしはさんで強調する。病気でもない人を連れてこられた医師は、当然のように「このような事は医書で学んだこともなければ、師から教えを受けたこともない」といって断ってしまう。ここでも教え伝えられた知識によってしか物事を把えようとしない知識人の態度が医師を通して浮きぼりにされる。同僚の法師達は、友人に対する無責任な同情心に曇らされて冷厳な事実を認識し得ず、医師は専門知識の枠にとどまって事態を考えようとしない。ましてや不安と悲しみの感情に駆られた「親しき者、老いたる母」たちは、自己の感情を抑えるのが精一杯で、事態を見つめることは望み得べくもない。こうして、関係者のすべては、事態を正視することを避け続け、全くゆきづまってしまう。

観察者の目と判断　鼻をおし平めてまでしてかぶった鼎を無傷で抜くことは所詮不可能である。解決策を考えるためには、そうした事実のきびしさを受けいれる他ない。「ある者」が誰であるかは不明であるが、事態のきびしさを見てとった「ある者」は、法師に対していちはやく観察者の立場をとり得た者に違いない。「ある者」は命を助けるという大事のためには、たとえ耳鼻が切れたとしても仕方がないという非情な決断だけが、残されたただ一つの解決策だと考えた。そうした解決を決断するためには、身勝手な願望に曇らされることのない第三者的な目と判断力をそなえる必要があった。藁をまわり一面にさし入れて力一杯引きぬくという単純明解な方法が、万策尽きた後に「ある者」によってやっと思いつかれたという話の構成は、それ自体が豊かな批評性をはらむのである。ひとときの興を買うために、「久しく病みゐたり」といった愚かな代償を支払わされた法師の行為は、物に動く人の心の危うさを雄弁に語っている。

仁和寺の法師の失敗譚　この段の前後には、仁和寺の僧にまつわる愚かしい失敗譚が集められている。第五十二段は仁和寺の僧が長年の念願であった石清水参詣を果たそうとして、一人で出かけたが、麓の極楽寺や高良神社などを拝んでそのまま帰ってしまった失敗譚をしるし、第五十四段では、美しい稚児を誘い出し、稚児が驚くようなたくらみを用意して面白く遊ぼうとした法師たちが、意外な妨害にあってさんざんな結末に落ちいってしまう滑稽で悲惨な愚行が語られている。そしてこの両段にはそれぞれ「すこしの事にも、先達はあらまほしきことなり」（五十二段）、「あまりに興あらんとする事は、必ずあいなきものなり（よくない結果に終るものである）」（五十四段）といった評語が加えられている。しかし、それらの評語は説話のスタイルにあわせて添えられた体のもので、話そのものは本話と同じように、事実に即した表現がはらむ豊かな批評性がよみとれるのである。兼好が表現によって隈どった事実は、切りとり方そのものが批評に支えられているため、比喩的な意味の連想を読み手によびさまし、さまざまな読解をみちびくように設定されている。

第五十九段　大事を思ひ立たん人

大事を思ひ立たん人は、[1]去りがたく、心にかからん事の本意を遂げずして、さながら捨つべきなり。「しばしこの事はてて」、「同じくはかの事沙汰しおきて」、「しかじかの事、人の嘲りやあらん」、「行末難なくしたためまうけて」、「年来もあればこそあれ、その事待たん、ほどあらじ。物騒がしからぬやうに」など思はんには、えさらぬ事のみいとど重なりて、事の尽くる限もなく、思ひ立つ日もあるべからず。おほやう、人を見るに、少し心あるきはは、皆この[2]あらましにてぞ一期は過ぐめる。

近き火などに逃ぐる人は、「しばし」とやいふ。身を助けんとすれば、恥をもかへり見ず、財をも捨てて逃れ去るぞかし。命は人を待つものかは。無常の来たる事は、水火の攻むるよりもすみやかに、のがれがたきものを、その時、老いたる親、いときなき子、君の恩、人の情、捨てがたしとて捨てざらんや。

1棄てにくく。　2心づもり。

大事を思ひ立たん人　兼好の伝記的事実から推定する限りでは、兼好自身はそれほど仏道の精進にうちこんだとは思えない。兼好にとっての「大事」とは、一般に言われるような「仏道修行によって悟りを開くこと」ではなく、時のすごし方の問題であったらしい。この段と内容上関連をもつ段に第百八十八段がある。その文章の一部で次のように言う。

一生のうち、むねとあらまほしからん事（主としてやってみたいと思っていること）の中に、いづれかまさると、よく思ひくらべて、第一の事を案じ定めて、その外は思ひ捨てて、一事をはげむべし。一日の中、一時の中にも、あまたの事の来たらんなかに、少しも益のまさらん事をいとなみて（行なって）、その外をばうち捨てて、大事を急ぐべきなり。

ここでいう「大事」は、文字通り「大切な事」であり、「第一の事」で、仏道の悟りとは無関係である。この段での「大事」も仏教語の「一大事」とする必要はないのではなかろうか。もしそうであるとするなら、「大事を思ひ立たん人」とは、「自分にとって本当に必要なことを実行しようとする人」の意と解し得る。ところで、兼好にとっての「大切な事」とは、「いかにもして世を遁れんこと」（五十八段）であって、既存の宗教行儀の修行を励むことではなかった。たとえ仏道を修めることであったとしても、その仏道は「仏道を願ふといふは、別の事なし。暇ある身になりて、世の事を心にかけぬを第一の道とす」（九十八段）といった遁世そのものが目的であった。

したがってこの段の第一文を作者兼好の思想に即して受けとるとすれば、「本当に世を遁れようと思い立った人は、やむを得ないことで気になっている事でも、それを望み通りにやりとげようとしないで、そのままそっくり捨て去るべきである」となり、「捨てる」ということが「大事」の内容と深くかかわってくる。つまり、まず世を捨ててみることが大事なのである。

諸縁放下　では世を捨てるとは、一体何を捨てることであろうか。このことを考える上で参考となる段は、第百十二段・二百四十一段・二百四十二段である。これらの諸段の内容については、第百八段をとりあげる時にふれることにするが、まず諸縁放下とは、社会的な地位にまつわる諸縁と家督の相続権を始めとする諸権利だったと思われる。そして、遁世をためらわせるような主な絆と言えば、この世に生きた証(あかし)ともなる仕事への執着や、自分に対する世評を全うしようとする虚栄心であろう。兼好はそうした心の動きを簡潔な自己弁護の言葉で的確にとらえる。そして、大方の遁世志願者は、予定を一日のばしにのばしているうちに、生涯その契機をつかみそこねてしまうと看破する。

〝無常変易の境〟を生きる覚悟　西行は、「身を捨つる人はまことに捨つるかは捨てぬ人こそ捨つるなりけり」(俗世を捨てて遁世した人を世人は世捨人というが、真の意味で世を捨て身を捨てたと言えるだろうか。そうではなく俗世を捨てきれないで執着している人の方が、生まれがたい人の命を恵まれた意味をないがしろにしているのである。『詞花集』)の歌を詠んでいるが、兼好が遁世に寄せた思いに通じる。世を捨てることは、「身を助ける」ことだったのである。「無常変易の境」(一切の事物が変化し、何物もあとをとどめることのない流転の世界）を生きるに際し、存命の喜びを一刻たりと失うまいとすれば、恥（世間体）や外聞（評判）、もしくは蓄財などにかかずらわっていられないというのである。親子の情愛や君臣の恩義よりも、命ある「只今」の生の充実を生きるためには、「心にかからん事の本意を遂げずして、さながら捨つべき」であると兼好は主張する。この思想は、第九十三段に引かれるある人の言葉とも共通する。

人死を憎まば、生を愛すべし。存命の喜、日々に楽しまざらんや。おろかなる人、此の楽しびを忘れて、いたつかはしく（骨を折って）外の楽しびを求め、此の財を忘れて、危ふく他の財をむさぼるには、志満つ事なし。生ける間、生を楽しまずして、死に臨みて死を恐れば、此の理あるべからず。人皆生を楽しまざるは、死を恐れざる故なり。死を恐れざるにはあらず。死の近き事を忘るるなり。

こうした主題は、『徒然草』の終結の部分で次のように再説される。

所願を成じて後、暇ありて道にむかはんとせば、所願尽くべからず。如幻の生の中に、何事をかなさん。すべて、所願皆妄想なり。所願心にきたらば、妄心迷乱すと知りて、一事をもなすべからず。直ちに万事を放下して道にむかふ時、さはりなく、所作なくて、心身ながくしづかなり。（二百四十一段）

兼好の出家の目的は、悟達や修法にあったのではなく、人生における時のすごし方にあったわけである。縁をはなれ、事にあずからない閑（しつ）かな時をすごすなかで、生の充足を楽しむことが、兼好にとっての生きる「道」だったのである。

第六十段　真乗院に、盛親僧都とて、やんごとなき智者ありけり

[1]真乗院に、盛親僧都とて、やんごとなき智者ありけり。いもがしら[2]といふ物を好みて、多く食ひけり。談義の座にても、大きなる鉢にうづだかく盛りて、膝元に置きつつ、食ひながら文をも読みけり。患ふ事あるには、七日、二七日など、療治とて籠り居て、思ふやうによきいもがしらを選びて、ことに多く食ひて、万の病を癒やしけり。人に食はする事なし。ただひとりのみぞ食ひける。きはめて貧しかりけるに、師匠、死にさまに、銭二百貫[3]と坊ひとつを譲りたりけるを、坊を百貫に売りて、かれこれ三万疋をいもがしらの銭と定めて、京なる人に預け置きて、十貫づつ取り寄せて、芋頭を乏しからずめしけるほどに、また、他用に用ゐることなくて、その銭[4]みなになりにけり。「三百貫の物を貧しき身にまうけて、かくはからひける、誠に有り難き道心者なり」とぞ、人申しける。

この僧都、ある法師を見て、しろうるりといふ名をつけたりけり。「とは、何物

ぞ」と、人の問ひければ、「さる物を我も知らず。もしあらましかば、この僧の顔に似てん」とぞ言ひける。

1仁和寺に属する院家の一つ。　2里芋の親芋。　3米に換算して約二百石（三万キロ分）にあたる。　4つかい果たしてしまった。

この僧都、みめよく[1]、力強く、大食にて、能書・学匠[2]・弁説、人にすぐれて、宗の法燈なれば、寺中にも重く思はれたりけれども、世を軽く思ひたる曲者[3]にて、よろづ自由にして、大方、人に従ふといふ事なし。出仕して饗膳などにつく時も、皆人の前据ゑわたすを待たず、わが前に据ゑぬれば、やがて[4]ひとりうち食ひて、帰りたければ、ひとりつい立ちて行きけり。斎[5]・非時も、人に等しく定めて食はず、わが食ひたき時、夜中にも暁にも食ひて、睡たければ、昼もかけ籠りて、いかなる大事あれども、人の言ふこと聞き入れず、目覚めぬれば幾夜も寝ねず、心を澄まして[6]うそぶきありきなど、尋常ならぬさまなれども、人に厭はれず、よろづ許されけり。徳の至れりけるにや。

1容貌。　2博学の人。　3変り者。　4すぐに。　5斎は僧侶が決められた時にとる食事、非時は正午以後の食事をいう。　6詩歌を低い声で吟じながら歩きまわること。

一途な芋頭愛好　世俗の名聞利養には全く無頓着で、ひたすら酒を好み、詩を愛した中国の酒仙の逸話には、本話に類した飄逸脱俗ぶりが語り伝えられているが、いもがしらといった卑俗平凡な食物をめぐる話材には、人の意表に出たユーモアが漂う。好きな食べ物を誰にも気がねすることなく、常識的な作法にもかかずらうことなく食べぬいた盛親僧都の行いぶりには、いもがしらがあたかも「大事」であるかのような印象を与え、盛親といもがしらとの関係に前段の内容が転位されているように読めるのである。例えば、師匠から譲られた財産を全額いもがしらの代金に消費してしまう態度は、常識的には師の恩義をないがしろにした行為のように非難されるのが普通で、盛親の処置は一見「君の恩、人の情」を捨てたように見える。また仏典を講義する席上にいもがしらを持ちこんで、それを食いながら講読する態度は、人の思わくを無視した行為とも解せる。いずれにせよ、好物とするいもがしらを食べるためには、世間の礼儀も体裁もおかまいなく振る舞い、病気になれば一層美味な芋を選んで食し、決して人には食べさせなかったというのである。

本物の好みと偽物の趣味　山崎正和氏は『徒然草』にみられる考え方の特質に「都会的な人間」の思想を指摘し、「日本で都市化現象というものを最初に筆にした随筆家」であると規定する（『生存のための表現』）。そうした特質の一つに「多元性」をあげ、現象として「〃好き〃という新しい価値意識が出てき」たことを指摘し、そうした「好みの主張」に対する兼好の批判を問題にしている。しかし、当時の風潮としての「好みの主張」とは、「唐物好き」がその典型であったように、珍奇な品物の所有を誇らしげに見せ合うか、好みを誇示して人を驚かすといったように他人を意識しての虚栄である場合が多かった。ところが盛親僧都の好みは、常識人の顰蹙や非難を買うことはあっても、人に褒められるような事柄ではなかった。しかも、趣味や虚飾とは縁遠い食生活における単純素朴な好みを、自分のためにだけおし通し、「人に食はする事」なく、「ただひとりのみぞ食ひける」潔さや、三百貫もの大金を好みに費消しつくしてしまった徹底ぶりを語る。このような話材によって、本物の好みのあるべき姿を兼好は見事に描ききる。「誠に有り難き道心者なり」という評語には、そうした本気に好みを主張する単純率直な態度への賞讃の意もこめられていたに違いない。

世を軽く思ひたる曲者　私達が生きている空間は、あらゆる種類の秩序意識に従って認知され有意味化されている。それが、ある場合は風俗・習慣とよばれ、ある場合は礼儀・作法とされる。言語意識も事物との対応関係に一定の身構えをとらせる秩序感覚の根拠となる。そうした制度化された現実の枠内に身を置き、秩序感覚に順応して行動することを正常とよぶとするなら、この段の二節以後に語られる言動は、奇行とする他ない。兼好は、盛親僧都の奇行を語ることによって、かえって世俗人の無内容なまともさを痛烈に諷刺する。「しろうるり」の話にしても、既存の意味連関を一歩も出ることができない常識人の言語生活の窮屈さを鋭くつく話となり得ているし、法事などに招かれて御馳走の膳につく時の話などは、習慣や礼儀の拘束力を改めて思い知らせる話材と言える。こうして盛親僧都は、その才能の実質においては「一宗の内での中心人物」として重んじられながらも、世俗の風習に対しては徹底した自由をふるまい、常識に従って形を整えることをしなかったという。そのように「世俗の風習を軽視した変り者で、何事についても思いのままにふるまって、全く他人がする通りにふるまうことがなかった」にもかかわらず、「人にいやがられず、万事大目に見られ非難されることがなかった」盛親僧都の生活ぶりを、作者は「人徳が非常にすぐれていたからであろうか」と共感を寄せる。この共感に対して安良岡康作氏は「盛親の自由境が、単なるわがままではなくして、その人格的精進の到り達した所に展開した、超常識的な個性的絶対性に貫かれていることを兼好が直感したがためであったと思われる」（『全注釈』）と解説している。

〃雑事の小節〃にしばられた生

「人は天地の霊」（二百十一段）と考えた兼好にとっては、霊性の自由を心から享受できる「閑かな」時を得ることが最高の願いであった。盛親僧都の学匠としての面目については筆をついやすことなく、寝食に関する生活の自由さを強調したのは、「宗の法燈」と思われていた盛親よりも、「曲者」の生活を送り得た盛親に強い関心をもったからだと思う。「閑かな」時を得るためにも、そして自らの霊性に目ざめるためにも、盛親のような「曲者」の生活ぶりが願われねばならなかったのである。そうした思いを兼好は、第百十二段できびしい口調で次のように語る。

人間の儀式（世間の儀礼）、いづれの事か去り難からぬ（どれ一つとして、しないで済ますことのできないものばかりだ）、世俗の黙しがたきに随ひて（世間のならわしを無視できないままに）、これを必ずとせば、願ひも多く、身も苦しく、心の暇もなく、一生は雑事の小節にさへられて、空しく暮れなん。

「世間の儀礼や社交上のつきあいに一々義理立てしていては、そうした雑事に時を奪われてしまって、一生は無駄に過ぎてしまう」とした兼好は、「諸縁を放下す」るために「信をも守らじ。礼儀をも思はじ」とまで極言する。そうした兼好の思いが、盛親の「曲者」の生活への共感をそそったのではなかろうか。

第七十一段　名を聞くより、やがて面影は推しはからるる心地するを

名を聞くより、やがて面影は推しはからるる心地するを、見る時は、また、かねて思ひつるままの顔したる人こそなけれ。昔物語を聞きても、この頃の人の家の、そこほどにてぞありけんと覚え、人も、今見る人の中に思ひよそへらるるは、誰もかく覚ゆるにや。

また、如何なる折ぞ、ただいま、人のいふ事も、目に見ゆる物も、わが心のうちに、かかる事のいつぞやありしかと覚えて、いつとは思ひ出でねども、まさしくありし心地のするは、我ばかりかく思ふにや。

言葉からの想像と現実　この段の「名」はいうまでもなく「人の名」であるが、人名に限らず、一般に事物の名称は、事物への連想をよびさまさないではおかない。そうした連想や想像は、現に目にしている事物の印象にも働くものであって、日常の現実は、そうした予想や連想と事物の印象との間に安定した関係が保たれているので、事実と想像の区別がつきにくくなっているだけである。ところがそうした連想や想像も、経験にもとづくものとすれば、基本的には想像力も広い意味での体験の枠を出ることができない。したがって、言葉による想像の世界は、時と所を遠くへだてた物語であっても、身近かな経験世界にひきつけて理解するのが普通である。兼好は、時をへだてた「昔物語」の鑑賞心理を分析するに先立って、一般的な人名をめぐる連想の心理をとりあげる。

未知と既知との関係　「名を聞く」ということは、ある人の存在を予告されただけで、存在を了解したわけではない。しかし、「名を聞」いた限り、事の厳密な意味で未知の人とは言えない。その時、人は何らかの形で既知の人の面影と結びつけてその人を了解し、その存在を受け容れようとする。そのように直接経験としての現在は、記憶の世界と結びつけられ、その間に連続関係が成立している限りにおいて、人間はノーマルな生活意識の内に安らぐことができる。ところが、兼好は日常生活で誰しもが普通に経験する了解（名を聞くやいなや面影を想像する）と現実（見る時）とのささいなくい違いに着目し、「昔物語」の受容にかかわる基本的な問題点をさりげない筆致でふれている。現在と無縁な過去は、文字通り過ぎ去ってしまった世界であって無に等しい存在である。しかし、主観的な了解（面影）と対象的認識（見る時）とのあいだに隔たりがあるとすると、現在の経験（既知）によって昔物語に読みとってゆくだけでは、昔物語の本当の顔を見そこなってしまう。そうした危惧を、作者は心のどこかに感じたので、「かねて思ひつるままの、顔したる人こそなけれ」と比喩的にふれたのではなかろうか。しかし、昔物語を読む興味が、「現在生きている人の家の、あのあたりで起った事件ではなかろうか」と連想したり、「物語に登場する人物も身近かにいる人の中に思いよそえられる」想像力のなまなましさにあるとするなら、主観的な了解から出発する他ない。そうした物語体験を作者は「誰もこのように感じるのであろうか」と改めて考える。しかし、人の名であるならば、「見る時」に「かねて思ひつる」面影との隔たりをはっきりと知ることができる。ところが対象的判断の成り立たない「昔物語」（古典の世界）の受容に於ては、想像力の世界に成り立つ共感を根拠とせざるを得ないのではなかろうか。

既視の感覚　この段の後半で兼好がふれているような〈既視〉体験について、吉本隆明氏は、「判断力の時間性」の問題と考え、「感覚的な受容とその了解とが共時的に結びつかないで、いったん、受容した光景を内的にもう一度視るということ」が「〈既視〉の本質」であると規定する（『共同幻想論』）。この「いったん、受容した光景を内的にもう一度視るという」行為は、作者自身も「我ばかりかく思ふにや」と考えたようであるが、確かに兼好の物の見方の特質と深くかかわる体験と言えるのではなかろうか。吉本氏は、大岡昇平氏の『野火』のなかで語られる〈既視〉体験の描写を引用する。「『野火』の主人公である〈私〉は、敗残兵として比島の山のなかを歩きながら、ふと以前にも、こんな風に歩いていたことがあったという感覚を体験」した時、そうした体験を、体験者自身が次のように解釈する部分である。

日常生活における一般の生活感情が、今行ふことを無限に繰り返し得る可能性に根ざしてゐるといふ仮定に、何等かの真実があるとすれば、私が現在行ふことを前にやったことがあると感じるのは、それをもう一度行ひたいといふ願望の倒錯したものではあるまいか。未来に繰り返す希望のない状態におかれた生命が、その可能性を過去に投射するのではあるまいか。

大岡昇平氏が解釈した「生命に内在する繰り返しの願望」といった考え方は、興味をひく解釈であるが、兼好自身は「聞く」事、「見ゆる物」にまつわる内的現象をそのままに語るだけで解釈しようとはしない。しかしこうした意識現象を言葉によって対象化し得た兼好は、「〈私が視たもの〉を、あらためて〈私〉が〈視る〉という」(『共同幻想論』)自己観察の心術に練達した人と言えるようである。

第七十五段　まぎるるかたなく、ただひとりあるのみこそよけれ

つれづれわぶる人は、いかなる心ならん。まぎるるかたなく、ただひとりあるの

みこそよけれ。

世にしたがへば、心、外[1]の塵に奪はれて惑ひやすく、人に交はれば、言葉よその聞きに随ひて、さながら[2]心にあらず。人に戯れ、物に争ひ、一度は恨み、一度は喜ぶ。その事定まれることなし。分別みだりに起りて、得失止む時なし。惑ひの上に酔へり。酔の中に夢をなす。走りて急がはしく、ほれて[3]忘れたる事、人皆かくのごとし。

いまだ誠の道を知らずとも、縁を離れて身を閑にし、事にあづからずして心をやすくせんこそ、しばらく楽しぶとも言ひつべけれ。「生活[4]・人事[5]・伎能・学問等の諸縁を止めよ」とこそ、摩訶止観[6]にも侍れ。

1浄心を汚す外界からの刺戟。色・声・香・味・触・法の六塵。　2全く、自分の本心と別物となってしまう。　3本心をうしなって、自己を意識しない。　4生計を立てるための労働。　5人とのつきあい。　6隋時代の高僧で天台宗をおこした智者大師智顗の説示を弟子の章安が筆録した書。

未来を待ちわびる生　人は決して現在に安住しようとはしない。未来という不安な時間にせきたてられ、人生というレースに後れをとるまいとして、人々は「蟻の如くに集りて、東西にいそぎ、南北に」（七十四段）忙しく走り回って、名声を求め、利益を求めて留まるところを知らない。人が生きることの目的とするところは、将来手に入れるであろうところの地位であったり、世に認められる業績の仕上げであったりするところから、時間はつねに予定として自覚されるに過ぎない。もしも、目的を持たない時間、予定からはみ出した時間を与えられてしまうと、人はその無聊な時間をもてあまし、娯楽や賭けごとで気をまぎらわさないではいられない。さもなければ退屈をもてあまし、ゆるみきった心で時を空費することで、未来を待ちわびるほかない。

「今」という時間の浪費　「つれづれわぶる人」とは、たまたま恵まれた「閑かなる暇」（三十八段）を、無聊退屈の時間としてもてあます人のことである。そうした「つれづれわぶる人」であればあるほど、じっとしていられないままに「人に出でまじらはん事を思ひ」「ひたすら世をむさぼる心のみ深く」（七段）多忙を自ら求め、未来だけを目的としてあくせくと騒がしく生きることに得意さを感じている。しかし、兼好は、人々が待ちわびている未来に確実にやってくるものが、ただ「老と死とにあり、その来る事速かにして、念々の間にとどまら」（七十四段）ないことを見抜いていた。死をもって限られた人間が、いたずらに未来を目的にして生きることは、「今」という時間の浪費であることを自覚した兼好は、「先途（死）の近き事をかへりみ」ないで「名利におぼれて」すごす人生や「常住ならんことを思ひて変化の理を知ら」ないばかりに、いたずらに死を悲しむことの愚かしさを批判せずにはいられなかった（七十四段）。

かけがえのない固有時　これといってすることのない「つれづれ」なる時間は、まさに自分自身に属したかけがえのない固有時である。兼好は、「縁を離れて」「事にあづから」ない「つれづれ」の時だけが、自らの心をもって完結し得る時間であると考えた。「まぎるるかたなく、ただひとりある」孤独は、一面では「ただ今」という瞬時に個別化された時間を生きることにおいて、他の一面では、「此処（ここ）」という空間に局限された「我」に立ちかえることによって、かえって永遠で無限な世界に触れ得る場所なのである。そうした「ひとりある」ことの充足を楽しむ心が「まぎるるかたなく、ただひとりある」孤独を求めさせるのである。人はそうした自己に属する固有時を生きる時はじめて、個の立場から世界に心を開くことができるのである。兼好の隠遁の主題は、そうしたかけがえのない固有時における個の充足を楽しむことにあった。まだ仏道の悟りをひらかなくても、世俗の諸縁から身をふりほどいて、一身を静かな時の流れにゆだね、必要のない雑事には関係しないで、心を沈黙の静謐に置くことを、有限の時間のなかで生きる人間の楽しみとする兼好の生のとらえ方は、中世における個我の自覚の一つの達成を意味していたと言える。

とりとめのない放心の人生

情況のなかへ投げ出されたあるがままの人生は、もしも人が世評を気にかけ、地位や名声に自己の拠り所を求めようとすると、雑多な他者や無秩序な外物に支配されて、とりとめのない放心へと個別化され、「人と調子をあわせたり、他人と言い争ったりして、ある時は人を恨み、ある時は人と喜び、心は統一を喪って不安動揺のうちに放置されてしまう」。そうした偶然に支配され、世間の評判に心をうばわれ、人の思惑を忖度（そんたく）して迷い乱れる状態は、仏説にいう迷妄乱心そのものである。兼好は、そうした対人関係における利害得失に心をわずらわせ、あれこれと思い悩むことからのがれられない人生を、「惑ひの上に酔」い、「酔の中に夢をなす」自己喪失の状態とみた。自ら好んで多忙を求め、二度とめぐりくることのない人生の時間をとりとめなく浪費してしまうことは、まさに酔生夢死と言える。兼好も『パンセ』のパスカルと同じように「およそ人間の不幸は、部屋のなかで静かにじっとしていることができないという、この一事からやってくる」（竹田篤司『パスカル・地獄絵作者の世界』による）と考えたに違いない。

第七十九段　何事も入りたたぬさましたるぞよき

何事も[1]入りたたぬさましたるぞよき。よき人は、知りたる事とて、さのみ知り顔にやは言ふ。片田舎よりさし出でたる人こそ、万の道に心得たるよしの[2]さしいらへはすれ。されば、世に[3]恥づかしきかたもあれど、みづからもいみじと思へる気色、[4]かたくななり。

よくわきまへたる道には、必ず口重く、問はぬ限りは言はぬこそいみじけれ。

1深入りしない。　2応対。　3非常に立派な点。　4見苦しい。

自己主張的な生の否定

古代貴族社会における優越性の原理が貴種という血の伝統にあるとするなら、中世武家社会におけるそれは、集団の団結力と武力の優劣の差にあった。そうした時代の秩序の形成原理の変化に伴って、新しい能力主義の人間観が広く行きわたるようになった。兼好は、時代の活力を支えた能力を一面では肯定しながらも、競争原理の排他性が、人間同士の共生関係をそこなうものであることを深く見てとったようである。すぐれた才能や能力自体は当然に肯定されてしかるべきものであるが、それは他に対して誇示すべきものではない。人の共感をさそわない自己顕示は、他人の目をもって眺める時、美しいものと映るはずがないのである。兼好は能力主義に伴う目ざわりな面を極力否定した。そうした考え方から「何事についても、他人に対しては深く立ち入らないで、心得がないようにふるまうのがよいのだ」という言葉が出てくるのである。そのような態度は消極的な謙虚さというべきではなく、不必要な自己顕示が全く不毛な結果をもたらす愚行でしかないことを知りぬいた賢明さと言える。露骨な自己主張を意識的に抑制し、お互いに他者の立場を共有し合うところに、真に普遍的で人間的な連帯が可能となるのであって、兼好はそこに「よき人」の対人関係における理想を見出した。

真の知識人と無教養な物知り　「よき人」に対比して「片田舎の人」を批判する文章は、他に、第百三十七段の中に見られる。ここでいう「片田舎よりさし出でたる人」とは、都に出て都びとをしのぐべく頑張った精力的な努力家と思われる。修得し得た知識の量を比較することによって、都びとと張りあってきた片意地な努力の成果には、見るべき立派な点の多いことを認めながらも、修学勉励の力わざの動因が、能力の誇示や競争の情熱にあったとするなら、個の立場を超えた地平への展望を持った真の知識人とは次元を異にする無教養人と見なされても仕方がない。都人に対する劣等感を裏がえした優越感に執する限り、「本人が自分を偉いと思いこんでいる態度」を人に見すかされ、「見苦しい」という批評を受けても当然である。「よき人」は、「自分の知っている方面のことには、必ず発言が慎重で、人が質問しない限り、自分の方から知ったかぶりの発言をしない」ものであって、人にむかって「あらゆることに通じているような応対をする」人間は、本質的な教養を欠く点で、田舎者と同じだと言える。

都市生活者の洗練された生活感覚　第七十六段から第八十一段までは、自立した自由な境涯を理想とする都市人の立場から、京都の現実の一面を批評した内容のものが集められている。第七十六段は、権勢家の不幸やおめでたにいちいち挨拶にあがる「ひじり法師」の話をとりあげ、「法師は人にうとくてありなん」（世俗人との社交上のかかわりは持たない方がよいであろう）という。しかし、この話から想像される現実は「世の覚え花やかなるあたり」には、「人おほく行きとぶらふ」都市の社交生活である。有名人とのささいな面識を誇らしげに思ったり、つてを求めてまでも顔つなぎをしたりして、顔の広さをきそうような都市的な社交人の姿である。そうした風潮に無自覚にそまってゆく「ひじり法師」の姿は、自らへの戒めであったかもしれない。第七十七段は、都市生活の大きな特色の一つである情報の豊かさをめぐる問題をとり上げる。新しい流行や人間関係の噂、はては政治・経済・文化・社会的事件についての情報がたちまちに口づてにひろまる都市生活では、自分と全く無関係のことにまで野次馬的好奇心をかきたてられるのが一般である。この段では、そうした都で「片ほとりなる聖法師」までが、世上の情報に関心をもち、自らも伝達して歩く姿を批判する。そして次の第七十八段では、都の人々が目新しい事件や事物に関する情報をもてはやす風潮をとりあげ、情報に通じた者同士が、符牒のような言葉で話題に興じ、そうしたことに疎い者を仲間はずれにするような「よからぬ人の、必ずある事」（教養のない人がきっとやる事）を指摘する。そして本段に続く第八十段で、多種多様な人間が入りまじって暮らす都会の多様で無秩序な文化の様態にふれ、「武を好む人」が多くなった都の現実を批判し、貴族までが武家のふるまいをすることを強く否定する。そして第八十一段では、調度類の贅をきそい、珍奇な趣向をこらす野暮な趣味生活を否定し、「古めかしきやうにて、いたくことことしからず（あまり大げさでなく）、つひえもなくて（すぐ形がくずれたりしないで）物がらのよきがよきなり」といった実質本位の調度観を主張する。このように、情報や流行の中心地となった都市での身の処し方の理想を語った諸段の一つに第七十九段は位置づけられるのである。

第八十五段　偽りても賢を学ばんを、賢といふべし

人の心すなほならねば、偽りなきにしもあらず。されども、おのづから正直の人、などかなからん。己すなほならねど、人の賢を見て羨むは尋常なり。至りて愚かなる人は、たまたま賢なる人を見て、これを憎む。「大きなる利を得んがために、少

しきの利を受けず、偽り飾りて名を立てんとす」と謗る。己が心に違へるによりて、この嘲りをなすにて知りぬ、この人は下愚の性移るべからず、偽りて小利をも辞すべからず、かりにも賢を学ぶべからず。

狂人の真似とて大路を走らば、則ち狂人なり。悪人の真似とて人を殺さば、悪人なり。驥を学ぶは驥の類ひ、舜を学ぶは舜の徒なり。偽りても賢を学ばんを、賢といふべし。

1 生まれつきの愚者。

人間性のありのままと正直さ

「人の心すなほならねば」の言葉は、兼好の基本的な人間認識を語る言葉と解してよいのではなかろうか。第百七段では、男からすばらしいもののように理想化されて見られ易い女に対し「女の性は皆ひがめり」と断言しているが、この言葉は、男を除外した言葉ではないと思う。もしそうであるとするなら、兼好はあるがままの人間性を肯定的にはみていなかったと考えてよい。主我的な情念に溺れやすい人間、「あらそひをこの」み、名利に執着して、功利打算の念を離れがたい人間、己れをわきまえないでいたずらに人をねたみそねむ人間の姿は、力関係の場を生きる限り免れがたい業のようなものかもしれない。兼好はそうした「世をむさぼる」生き方に醜さを覚えないではいられなかった。それだからこそ「人と生れたらんしるしには、いかにもして世をのがれんことこそあらまほしけれ。ひとへにむさぼる事をつとめて、菩提におもむかざらんは、万の畜類にかはる所あるまじくや」（五十八段）と考えて遁世の境涯を選んだのである。しかし、「そうはいうものの、稀には心のねじけない素直な人がどうしていないことがあろう」と、この世にあって「正直」をつらぬいて生き得る人の存在を認めていた。盛真僧都はそうした人の一人であったかもしれない。偽善や露悪は「ありのまま」の姿とは言えても、「正直」とは言えない。しかし、「正直の人」ならぬ凡人のおよびうるところは、偽善の道しかないというのが兼好の認識であった。

「賢なる人を見て、これを憎む」者　能力や才知を人と比較することで優越感を覚える人は、「賢なる人」を見かけると「自分もそうなりたいと羨しく思うのが普通のことである」のに、かえって憎むというのである。兼好はそうした人間を「至りて愚かなる人」もしくは「下愚の性」の人として口を極めて否定する。作者は、自分の心のゆがみに無自覚な人間の多さに辟易していたに違いない。そして、比較によってしか自己の価値を認識し得ない人の陥りがちな劣等感の裏がえしをきびしく指弾する。「賢なる人」のふるまいを見てそれを憎み、偽善か売名行為であるかのように誇り嘲るような心の持主は、そうした「下愚の性」からぬけ出ることができないときめつける。そんな人は、「たとえ偽善のふるまいであっても小さな利益をこばむことも出来なければ、うわべだけでも賢人のまねをすることができない」ことがはっきりしているというわけである。

「正直の人」と「賢なる人」　「人の心すなほならねば」という前提に立てば、「賢なる人」とは、そうした自覚を持っている人のことであって「正直の人」と異なる範疇に属する人と言える。利に執する心が動いても、それを自ら否定するのが「賢なる人」であって、始めから利害の打算に動かされない人が「正直の人」なのである。兼好はそうした「賢なる人」について第百三十段で次のようにふれる。

人にまさらん事を思はば、ただ学問して、その智を人にまさらんと思ふべし。道を学ぶとならば、善に伐らず、友がらに争うべからずといふ事を知るべき故なり。大きなる職をも辞し、利をも捨つるは、ただ学問の力なり。

本当の学問が、個を超えた普遍を認識する道であるとするなら、智がまさればまさるほど全体の調和を構想することによって個の盲目的な活力を自ら統御するようになるのが当然である。兼好が生きた時代は人間の本能的な活力が乱世の招来を予感させるような時代であった。そうした情況を生きながら時代に絶望しなかったのは、「学問の力」を信じ得たからである。「学問の力」だけが「すなほならぬ」「人の心」を辛うじて統御できるのであって、「正直の人」の集まりとは言えない社会にあって、自己を抑制し、他者と共に生きることを可能にするというのである。

偽善のすすめ　そもそも「学ぶ」という言葉は「真似」と同根の語で、手本の通りにまねをすることを意味している。「正直の人」は、稀有な存在でしかないとするなら、大部分の人は「正直の人」を真似るほかない。したがって「賢なる人」とは、「智」によって構想し得た「賢」者の理想を学び、自己の本性を偽ってもそうした賢者に真似ることのできる人ということになる。そこには〃ありのまま〃が真実で〃真似〃は偽善だというような素朴な考えは通用しない。「偽りても賢を学」ぶ偽善だけが、「正直の人」ならぬ凡人に可能な唯一の道ということになる。どうにもならない人間が、他者と折りあって、共に社会生活を営み得るのは、そうした賢さに裏づけられた偽善を生きることができるからである。兼好は、そうした偽善を「偽りても賢を学ばんを、賢といふべし」と積極的に肯定する。

第百八段　ただ今の一念、むなしく過ぐる事を惜しむべし

寸陰惜しむ人なし。これよく知れるか、愚かなるか。愚かにして怠る人のために言はば、一銭軽しといへども、これを重ぬれば、貧しき人を富める人となす。されば、商人の一銭を惜しむ心、切なり。[1]刹那覚えずといへども、これを運びて止まざれば、命を終ふる期、たちまちに至る。

されば、道人は、遠く日月を惜しむべからず。ただ今の一念、むなしく過ぐる事を惜しむべし。もし人来りて、我が命、明日は必ず失はるべしと告げ知らせたらんに、今日の暮るる間、何事をか頼み、何事をか営まん。我等が生ける今日の日、何ぞその時節に異ならん。一日のうちに、飲食・[2]便利・睡眠・言語・行歩、止む事を

得ずして、多くの時を失ふ。そのあまりの暇いくばくならぬうちに、無益の事をなし、無益の事を言ひ、無益の事を思惟して時を移すのみならず、日を消し、月を亙りて、一生を送る、もつとも愚かなり。

謝霊運[3]は法華の筆受[4]なりしかども、心、つねに風雲[5]の思を観ぜしかば、恵遠、白蓮の交を許さざりき。しばらくもこれなき時は、死人に同じ。光陰何のためにか惜しむとならば、内に思慮なく、外に世事なくして、止まん人は止み、修せん人は修せよとなり。

1極めて短い時間。　2大小便をいう。　3中国六朝時代の文人。　4法華経を漢訳した際の筆録者。　5時勢に乗じて栄達したいという思い。

寸陰惜しむ人なし　単に時間を惜しむ勤勉家ならそれほど珍しい存在ではない。兼好自身も寸陰（僅かな時間）を惜しんで多忙にふるまう大多数の人の姿を「蟻のごとくに集まりて、東西に急ぎ南北に走る」（七十四段）と観じている。それなのに何故「寸陰を惜しむ人なし」と言い切ったのだろうか。常識的な意味で時間を無駄にしない人というだけなら、世上の大多数の人を「寸陰を惜しむ人」と呼ぶべきなのである。兼好にとっての「寸陰」とは、単にわずかな時間を意味していたのではない。それは「止む事を得ずして、多くの時を失ふ。そのあまりの暇」のことだったのである。たまたま恵まれた閑暇を「名利につかはれて」刻苦勉励のうちにすごしたり、あるいは気ばらしの楽しみのために消費してしまうことは、時を惜しまない行為を意味していたのである。また、無自覚な仏道精進も「時を失ふ」ことでしかなかった。「蟻のごとくに集まりて、東西に急ぎ南北に走る」人は、寸陰を惜しんで努力するのが普通である。兼好は決してそのような意味で寸陰を惜しめと言ったのではなかった。兼好は、たださえ「飯食・便利・睡眠・言語・行歩」その他「止む事を得」ない仕事のために時間をさかれる生活の時間にあって、「そのあまりの暇」までを多忙にすごす生き方を否定したのである。つまり、兼好が説く寸陰愛惜とは、「閑かなる暇」をいとおしむことであり、二度とめぐりくることのない固有な時を深く生きることを意味していたのである。

寸陰愛惜と諸縁放下との関係　兼好は終りの節で「しばらくもこれ（＝寸陰を惜しむ心）なき時は、死人に同じ」という。常識では寸暇を惜しんで仕事に励む人が「寸陰惜しむ人」のように思えるが、「行跡と才芸との誉」を求めて「止む時」のない人を、かえって社会的な「違順（順境と逆境）につかはるる」人として否定する（二百四十二段）。組織や情報によって作られる社会的な虚像にふりまわされて生きる人生を「如幻の生」と観じた兼好にとっては、「常住平生の念に習ひて（人生はいつまでも今と同じ生活が続けられるという考え方に馴れてしまって）、生の中に多くの事を」なしとげようとすることの方が、かえって「懈怠（けたい）」だったのである（二百四十一段）。したがって寸陰を惜しむことは、「ただ今の一念」において「直ちに万事を放下して道にむかふ」ことであった（同上）。心から寸陰を惜しむ人は、かえって「所願心にきたらば、安心迷乱すと知りて、一事をも為」してはならないのである（同上）。社会から強いられる強迫観念にとりつかれ、名利にふりまわされてあくせく生きることは、この二度とめぐりくることのない人生の時間の空費であると悟った兼好には、寸陰愛惜と諸縁放下とは同じことの表裏であった。

しばらくの命をいとおしむ心　本文にある「道人」は、一般に「仏道を修行する人」と解されているが、「仏道を願ふといふは、別の事なし。暇ある身になりて、世の事を心にかけぬを第一の道とす」（『一言芳談』による文、九十八段）といった立場に共感をよせる兼好の仏道とは、遁世そのものを意味していた。したがって「道人」の語を最も単純に説明するなら「遁世者」ということになる。また、兼好の思想に即して解釈するなら、虚妄な未来をあてにすることなく、「ただ今の一念」において真に自己を生かし、個の充足を楽しむ者ということである。「もしも、誰かがやってきて、自分の命が明日は必ずなくなるだろうと告げ知らせてくれたとしたら、今日の日が暮れるまでの間を、一体、何事に期待をかけ、どんな事に精を出すであろうか」と兼好は問いかける。その時、将来の成功を夢みて努力していた人であるなら、事業のなかばにして死ぬ悔しさに身をさいなまれ、人生の空しさを覚えるに違いない。兼好は「私達が生きている今日ということの日も、明日という時間がないと宣告された場合と少しもかわらない」と考える。私達はどのような経験も、もう一度繰り返すことができるような期待のもとに、「ただ今」の時をうかうかと過してしまう。そのことを兼好自身も第九十二段で弓射る人の言葉にたとえて語る。弓の師が初心の人に二本の矢を持って的に向ってはならないと戒めた言葉のなかに、二本の矢を持つと、どうしても「はじめの矢に等閑の心」が自分では自覚しなくてもひそみこむと指摘する。さらにこの言葉を強調し、「この戒しめ万事にわたるべし」として、次のように語る。

道を学する人、夕には朝あらんことを思ひ、朝には夕あらんことを思ひて、かさねてねんごろに修せんことを期す。いはんや、一刹那のうちにおいて、懈怠の心ある事を知らんや。何ぞ、ただ今の一念において、ただちにする事の甚だかたき。

この段の「道を学する人」が、本段の「道人」にあたる。そして「ただ今の一念において、ただちにする事」が「ただ今の一念、むなしく過ぐる事を惜しむべし」と内容を等しくするとするなら、「する事」とは、何事かをなすことではなく、逆に放下することであると考えるべきで、大部分の注解書が「なすべき事をすぐに実行する」としているのは誤解をまねく説明と言わねばならない。寸陰を惜しむことは、万事を放下して「そのあまりの暇」を愛惜することを意味していたのである。

止まん人は止み、修せん人は修せよ　この句に関しては、古注では「止まん人とは止観、修せん人は修行なり」(『寿命院抄』)、「止は観法なり、修は行法なり」(『盤斎抄』)といった天台宗の行法にひきつけた解が行なわれたが、近代の注は、そうした教学の枠にとらわれないで「それだけで満足する人は満足するがよい」とするのが一般の傾向となった。そうしたなかで『全注釈』は「この『止む』『修す』は、仏語の『止悪』『修善』を意味していると思う」という立場から、結びの文を「それならば、時間を何のために惜しむのかといえば、心中には、あれこれと思い考えることをせず、周囲には世の俗事のないようにして、悪事を止めようとする人は止め、善事を実行しようとする人は実行せよということのためである」と口語訳している。それに対し田辺爵氏の『徒然草諸註集成』では、「(それなら)その時間を何のために惜しむのかといえば、心の内に、いろいろの思慮分別をめぐらすことなく、外には世間的な事へのわずらいがなく、(無為寂静な時間を得て、それだけを楽しみ)満足している人は、それだけでもよく、また進んで道を修行しようとする人は、修行するがよいということなのである」と訳されている。私は、兼好のいう「道」をそれほどまで仏道とか修行とか悟りといったことにひきつけて解釈する必要はないと考える。というのは、第百七十四段で「人事おほかる中に、道を楽しぶより気味ふかきはなし」と述べている「道」は、第二百十一段にふれているような「左右ひろ」く、「前後遠」い視野で、心を「ゆるく」「やはらか」に保って物事を認識する行為を意味したと考える。そうすると、この結びの一文の「修せよ」の内容は、修行というより、「道を楽しぶ」ことであってもよいのではなかろうか。それに対し、「止まん人」は、「事の理」をしいて求めない人というようにとれば、結びの部分は次のように解釈できる。「時間を何のために惜しむのかといえば、(それは一般に考えられるような仏道精進のために時を惜しむのでもなければ、歴史に残る仕事を完成するために寸刻を惜しんで精励することでもなく、ただ)利害得失の分別にとらわれることなく、なるべく世間とのかかわりを遠ざけて『万のしわざは止め』(百五十一段)、道を学する人(道人)として、道理のつかみきれないことは強いて理を求めず、事物の道理を明らかにし得ることは、道理に従うのがよい」ということになる。以上のように、兼好は幻想を捨てて事実につく生き方のうちに生の充足を見出そうとしたのである。

第百十段　勝たんとうつべからず、負けじとうつべきなり

双六[1]の上手といひし人に、その手立を問ひ侍りしかば、「勝たんとうつべからず、負けじとうつべきなり。いづれの手か疾く負けぬべきと案じて、その手を使はずして、一目なりともおそく負くべき手につくべし」といふ。

道を知れる教へ、身を治め、国を保たん道も、またしかなり。

1 中国から伝わった遊戯で、十二筋の盤の上に黒白の石をならべ、互いにさいころをふって石を進めて勝負を争う遊び。

勝たんとする心と負けじと思う心　諺で「攻撃は最大の防御なり」というように、実際の勝負で「一目なりともおそく負くべき手につく」ことが、はたして有効な戦略といえるかどうかは疑問である。しかし、兼好は戦略の見地から「双六の上手」の言葉に関心を示したのではなく、「道を知れる教へ」（その道のことをよく知っている者の教え）として興味を覚えただけなのである。勝とうと思って考えたことは多くの場合、ひらめきが根拠であって、そこにはつねに何程かの冒険が伴う。ところが負けまいと思って盤を見つめる心は、筋道の分析であり、勢力関係の客観的な観察であ

る。したがって往々に「勝たんとうつ」手には、ひらめきに溺れ易い傾向があり、冷静な観察者の目から見るとその危うさが目につき、かえって弱点を露呈することにもなる。しかし実際の勝負では、勝機をつかんで先手を取り続けることが必要であって、「おそく負くべき手につく」ことは、そうした勝機をつかむまでの態度として通用するだけではなかろうか。兼好は勝負師から勝つための秘訣を聞いたのではなく、双六ゲームそのものの論理性に熟達する道を尋ねたと思われる。兼好はゲームにおいて勝負をあらそうよりも「道を学する人」としてゲームの論理をきわめることに興味を持ったと思われる。

道を知る人　『徒然草』には、「道」に言及した段が目につく。「文の道」「管絃の道」「歌の道」「木の道」「医の道」「恩愛の道」「兵の道」「世を治むる道」ときわめて多方面にわたり、「道を知れる」専門家を尊重する話も多い。そうした段の代表的なものに、第五十一段の水車作りで名高い宇治の里人の話や第百九段の高名の木のぼりの話や第百八十五段の城陸奥守泰盛に関する逸話がある。第五十一段は、亀山殿の池に大井川の水を引き入れるための水車を多大な工賃と多くの日数をかけて大井の土民に作らせたところ、その水車が全くまわらなかったのに対し、専門家として有名な宇治の里人に作らせた水車はやすやすと作りあげたにもかかわらず、見事に水を汲みあげたという話である。技術の道を軽視して「多くの銭」で問題を解決しようとした失敗談である。この段に関し、三木紀人氏が「『道』がこの主題だとすれば、副主題は『銭』だろうか。……『多くの銭』によって所期の目的がただちに果せるだろうとした工事の計画者と、たちまち

『営み出だし』た土民の姿は、貨幣経済が軌道に乗り出した都の文化圏の人々の生活感情を示す点景とし珍重に価する」(『国文学』昭和四十四年三月)というように、「銭」の力にひかれて道を恐れる心をうしなった土民の努力の空しさを指摘したことは新見と言える。「道」とはこのように技能や認識の問題と深くかかわっており、主観的な善意や主我的な情熱だけでは如何ともしがたい領域であると兼好は語っているようである。第百八十五段は並ぶ者なき乗馬の名手、城陸奥守泰盛が乗るべき馬を慎重に選び、むやみと乗らなかった話で、「道を知らざらん人、かばかり恐れなんや」と結んでいる。このように道を知る人とは、物事それ自体に内在する法則を客観的な立場でつかんでいる人のことで、自己過信の幻想に酔うこともなく、吉凶卜占の観念にもまどわされることもない新しい現実主義者を意味し、それは兼好の理想でもあった。

現実を見きわめる目と心　兼好が「人としては善にほこらず、物とあらそはざるを徳とす」というのは、単なる謙虚の美徳を説いた言葉ではなかった。誇りや強がりが自他のかかわりを客観的に見る目をくもらせ、とどのつまりは他人と共に生きる人間関係をそこなうに至ることを知っていたので、兼好は勝負を好む態度を強く否定した。己れを律する道も共同体の秩序を保つ道も成功を求めるより失敗をなくすように心がけるべきであると説く。それは、そうした態度に徹する方が現実認識が深まると考えたからであって、単純に消極主義者の言説として否定すべきではない。そうした現実認識が、ものの道理に即した安らかな人生、もしくは無理を強制しない政治を可能にすると兼好は考えたわけである。

第百十七段　友とするにわろき者

友とするにわろき者、七つあり。一つには、高くやんごとなき人。二つには、若き人。三つには、病なく身強き人。四つには、酒を好む人。五つには、たけく勇める兵。六つには、虚言する人。七つには欲ふかき人。

よき友三つあり。一つには、物くるる友。二つには、医師。三つには、智恵ある友。

アイロニカルな表現　この段は『論語』季子編に「孔子曰はく、益者三友、損者三友。直きを友とし、諒（謹直の意）を友とし、多聞を友とするは益なり。便辟（おせじをとる人）を友とし、善柔を友とし、便佞（こびへつらう人）を友とするは損なり」とある文のパロディであることは明らかである。『論語』の文が如何にももっともらしい正論であるのに対し、『徒然草』の方は、そうした理念にとらわれない生活者の現実感覚が実に巧みに表現されている。「益者三友」からふれないで、まず「友とするにわろき者（よくない者）」を取り上げ、しかも「損者三友」ではなく「七つあり」とした発想は、「縁を離れて身を閑かにし、事にあづからずして心を安くせん」（七十五段）ことを願った遁世者の友人論として興味深い。日本人による友人論としては早く『池亭記』があり、書を友とし、琴瑟を友とし、詩酒を友とする隠者の三友に似せて、賢主・賢師・賢友と遇う楽しみが語られ、世俗の利を以て交際する友を否定する思想が述べられている。しかし、隠者の三友にしても、賢者の三友にしても理念が先行する観念論を免れないうらみが残る。そうした理念が先行する現実に対するアイロニーとして、兼好はこのような文を発想したと思う。

わろき者　第十二段で「まめやかの心の友」のあり得ないことを語った兼好の立場からは、当然に積極的な友人論が出てくるはずがない。仮りの世の幻の如き人生にじっと耐えすごすなかで、辛うじて得たつれづれの暇の中に「存命の喜び」を見出した兼好には、人との交際も最小限の方が理想であったに違いない。したがって、「よき友」を求めるよりも、つとめて「友とするにわろき者」を避ける方が先決であった。その第一に「身分が高く、世間から重く見られている人」があげられたのも世間常識に対するアイロニーと言える。その理由はいろいろと想像できるが、「品（家柄や身分）の高さにても、才芸のすぐれたるにても、先祖の誉（ほま）れにても、人にまされりと思へる人は、たとひ言葉に出でてこそ言はねども、内心にそこばくのとが（多くの非難される点）あり」（百六十七段）という洞察をもった兼好には、無自覚な慢心をいだいた貴人を敬遠しておく方が、自らの精神衛生にプラスであったのではなかろうか。第二の「若き人」と第三の「病なく身強き人」も、「高くやんごとなき人」と同じように、自らを信じる心のかたくなさを免れない人である。「血気内に余り、心、物に動きて、情欲」の盛んな若者（百七十二段）は、とかく主我的な情念に溺れやすく、「病なく身強き人」は、他人の病苦に対する想像力が欠如するので、自分のなかに他人の心をとり入れる慈悲心を欠き易い。兼好はそうした他者に対する配慮や想像力を欠く人間をもまた遠ざけ、「慈悲の心なからんは、人倫（人間）にあらず」とまで言い切っている。

「酒を好む人」も、とかく、「酒をすすめて、強ひ飲ませたるを興とする」(百七十五段) 習癖の持主が多く、酔えば「礼儀正しい人も、たちまちに狂人となったように馬鹿げた振る舞いをし」(同前)、人に不愉快な思いをさせる人の多いことに兼好自身も悩まされたらしい。「たけく勇める兵」に関しては、第八十段で「武に誇るべからず。人倫に遠く、禽獣に近きふるまひ」とまで批判する。兼好の立場からは、以下「虚言する人」「欲ふかき人」の二つと共に「わろき者」の次元をこえて許せない者であったと思われる。しかし、生活を続けてゆく上でそうした人とのかかわりも余儀ないものであるなら、わろき友と見たてて耐え忍ぶほかないと観じたのが、兼好のアイロニーではなかったろうか。

よき友　「物くるる友」を「よき友」の第一にあげたことは、人の意表をついた言葉であったらしい。近世に入って『徒然草』がひろく読まれるようになると、この「物くるる友」を誉めた兼好の言葉が新鮮に映ったらしく、川柳によまれることも多かった。この言葉には、法師らしからぬ素直な生活感覚が充溢していて、既成の倫理意識や道徳観念の枠を超出した人間関係のとらえ方が極めてアイロニカルに表現されている。〝物〟よりも〝心〟だといったような精神論の空しさと偽りをこれほど鋭くついた言葉があっただろうか。兼好が「よねたまへ、ぜにもほし」という言葉を歌の句の上と下に配したざれ歌を頓阿に贈ったところ、頓阿は「よねはなし、ぜにすこし」の言葉を詠みこんで歌を返してきた逸話は有名である。その歌というのは、

よもすずしねざめのかりほ手枕もま袖も秋にへだてなきかぜ

返し

よるもうしねたくわがせこはてはこずなほざりにだにしばしとひませ

このように生活の不如意をもざれ歌に托して楽しむ心は、「物くるる友」を素直に喜ぶ心とそのまま重ならないだろうか。「思ふべし、人の身に止むことを得ずして営むところ、第一に食ふ物、第二に着る物、第三に居る所なり。人間の大事、この三つには過ぎず。饑ゑず、寒からず、風雨にをかされずして、閑かに過ぐすを楽しびとす。ただし人みな病あり。病にをかされぬれば、その愁へ忍びがたし。医療を忘るべからず」（百二十三段）といった生活感覚を大切にした兼好の人生観が、二つに医師を加えた友人論を書かせたと思われる。「智恵ある友」とは、知識に富んだ人をいうのではなく、物の道理に明るい人を意味している。「同じ心ならん人」があり得ない現実では、他人と折り合いを見出す智恵を備えた人を、望み得る理想の友人とする他ないわけである。

第百二十二段　文・武・医の道、誠に欠けてはあるべからず

人の才能は、[1]文（ふみ）あきらかにして、聖（ひじり）の教を知（し）れるを第一とす。次には、手書く事、むねとする事はなくとも、これを習（なら）ふべし。学問に便（たより）あらんためなり。次に、医術を習ふべし。身を養ひ、人をたすけ、忠孝のつとめも、医にあらずはあるべからず。

次に、弓射、馬に乗る事、六芸[2]に出せり。必ずこれをうかがふべし。文・武・医の道、誠に欠けてはあるべからず。これを学ばんをば、いたづらなる人といふべからず。次に、食は人の天なり。よく味を調へ知れる人、大きなる徳とすべし。次に、細工、万に要おほし。

この外の事ども、多能は君子の恥づるところなり。詩歌に巧みに、糸竹に妙なるは、幽玄[3]の道、君臣これを重くすといへども、今の世には、これをもちて世を治むる事、漸くおろかなるに似たり。金はすぐれたれども、鉄の益多きに及かざるがごとし。

1ここは四書・五経の類をさして言う。　2中国古代の士たるものが必修した技芸で、礼・楽・射・御（馬術）・書・数をいう。　3奥深く高尚な芸術。

精神と肉体の統御　兼好は遁世者の境涯を選びとりながらも、現実生活の必要を無視するような身構えをとることはなかった。一般社会人に立ちまじり、市隠の生活を過した兼好は、世俗を拒絶したり、社会から逃避したりする孤立を望まなかった。兼好にとっての遁世とは、妄想的な過剰な欲望を呼びさまさないではおかない情況的な社会からわが身をふりほどき、三人称的な視点から対社会関係をとらえ直す精神の方法を確立することを意味していたようである。この段の内容が、一見遁世者にふさわしからぬ文・武・医道といった社会人としての心得を説いているのも、それらが現実生活の実際に役立つ才能だったからである。兼好は妄想にみたされた社会生活を否定したが、「国のため、君のために、止むことを得ずしてなすべき事」（百二十三段）まで否定しなかったのである。

「人の才能」のまず第一に「まことしき文の道」（一段）ともいうべき孔孟の教（聖の教）に精通することをあげたのは、それが治者の道であるからというよりは、自らの精神を秩序づけるために必要な道であったからである。次に文字を書く技術をあげたのは、能書家になることをすすめたのではなく、「手のわろき人の、はばからず文書きちらすはよし。見ぐるしとて、人に書かするはうるさし」（三十五段）といった観点から、筆を執ることをすすめたにすぎない。それは書物を筆写することなくしてはテキストを入手し得なかった時代の必要事でもあった。つぎに身体的存在としての人間に目を向け、肉体の秩序ともいうべき健康に関する知識と訓練に言及する。肉体を健康に保持し、身心の集中と緊張を自らに課する弓術と馬術をあげたのは、何も「武力が幅を利かす争乱の時代」を考慮しての実用的技芸と考えたからではない。「六芸に出せり」とことわったのは、あえて実用の武術から切り離す視点を明確にするためであったと考える。兼好自身も「弓射（ゆみい）」と「馬に乗る事」に深い関心を持っていたようで、第九十二段に「或人、弓射ることを習ふに」という、よく教科書に採りあげられる有名な話があり、「馬に乗る事」に関しては、第百四十五段・百八十五段・百八十六段で、馬乗りに関する逸話をしるしている。「文・武・医の道は、そのどれ一つも欠けてはすまされないものだ」と主張する兼好の立場は、自立的人間に不可欠な精神と肉体の統御を主張するところにあったのであって、単なる実用主義と解すべきではないと考える。

遁世と現実主義の精神　兼好はつぎの段で「無益（むやく）のことをなして時を移すを、愚かなる人とも、僻事（ひがごと）する人ともいふべし」（百二十三段）という。鎌倉末期の世相は、開発と交易活動の発展にともなって出現した富裕者の贅沢がひろく目を惹くようになり、やがて『太平記』で有名な「バサラ大名」佐々木道誉のような、けたはずれな浪費行為が人の耳目を驚かすようになりつつあった。中国から渡来する珍奇な器物を巨額な費用をあてて競い求める風潮に対しては「唐の物は、薬の外は、なくとも事欠くまじ」（百二十段）と批判し、無用な物を運ぶために航海の危険をおかすような行為を「いと愚かなり」ときめつける。また前段の第百二十一段では、輸入される珍獣・奇鳥を求めて愛翫する流行風俗をも否定する。このように過剰な欲望にふりまわされて、華美や奢侈をきそう風潮がたかまろうとする世俗とは無縁な地平に、自立の根拠を求めるなら、少なくとも「饑ゑず、寒からず、風雨にをかされ」ない生活基盤を持つことは必要事である。兼好は衣・食・住の三つに医療を加えて「人間の大事」とする（百二十三段）。兼好はこの「四つの事」を充たした上で「閑（しづ）かに過ぐす」ことを求め、閑居を楽しむことをもって遁世の理想とした。そこに遁世と現実主義の精神との接点があったのである。

具体的な生と生活技術　衣・食・住を「人間の大事」とする兼好は、『帝範』に見える言葉を引いて、「食は人の天なり」という。この言葉は鎌倉時代の初期に編纂された金言集『明文抄』

にも引かれているので、人口に膾炙していた言葉かもしれない。しかし、「調理の仕方を心得ている人」の技能を「大きなる徳」とし、物を作る手先の技術を重んじる考え方は、実用主義と呼ぶよりは、生活技術によって支えられた生の具体的現実性を小事とみなさない人生観の表現と読むべきではなかろうか。知識人の生に対する姿勢には、事物との具体的なかかわりよりも、観念や権威の秩序に自己を写し出して自己満足する傾向が強くみられる。「物」をつくり出す生活技術の習熟を強調したことは、その事自体が知識人批判となり得たからだと考える。

兼好は、必要としない才能については、『論語』に見える「君子多ならんや。多ならざるなり」の言葉をかりて暗に否定する。詩歌や音楽といった精神文化の優越性をもって支配階級の権威とするような気風が漸くすたれ、現実の諸矛盾を現実的な合理性に基づいて処理する知性が要求される時代相に照らして人生をとらえる時、兼好は文化的な教養主義の限界を思い知らされたに違いない。公家貴族の文化がそうした時代の動向と齟齬(そご)してゆく現実を「現代においては、詩歌・管絃の道を中心とした礼楽思想を拠り所に世の中の政治をとらえることは、愚かなことといってもよくなった」と兼好は見ぬいた。こうした兼好にとっては、現実性に即して具体的に事物を処理し得る技術の方が第一の肝要事と考えられた。政道のあり方に対しても、同様な批判を持っていた。この点については改めてふれたい。

徒然草

下巻

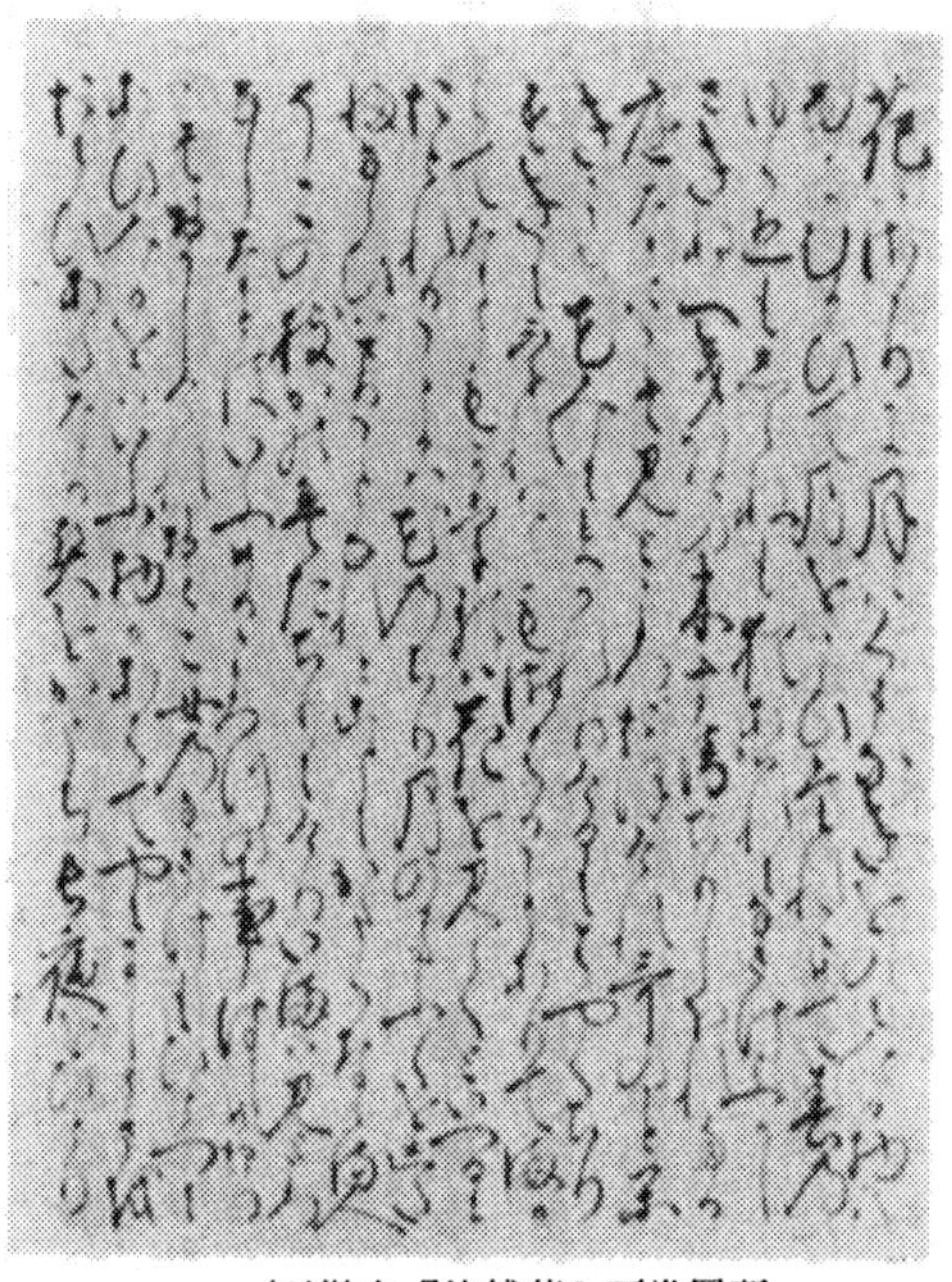

(正徹本『徒然草』下巻冒頭.
第137段「花はさかりに」)

第百三十七段　よろづの事も、始め終りこそをかしけれ

花はさかりに、月はくまなきをのみ見るものかは。雨にむかひて月をこひ、たれこめて[1]春のゆくへ知らぬも、なほあはれに情ふかし。咲きぬべきほどの梢、散りしをれたる庭などこそ、見所おほけれ。歌の詞書[2]にも、「花見にまかれりけるに、はやく散り過ぎにければ」とも、「さはる事ありてまからで」なども書けるは、「花を見て」といへるに、劣れる事かは。花の散り、月の傾くを慕ふならひはさる事なれど、ことにかたくなる人[3]ぞ、「この枝かの枝、散りにけり。今は見所なし」などは言ふめる。

1部屋に閉じこもって。　2和歌の前書。　3無風流な人。

よろづの事も、始め終りこそをかしけれ。男女の情も、ひとへに[1]逢ひ見るをばいふものかは。逢はで止みにし憂さを思ひ、あだなる契り[2]をかこち、長き夜をひとり明し、遠き雲井を思ひやり、浅茅が宿に昔を偲ぶこそ、色好むとはいはめ。

1いちずに。　2はかない約束。

望月のくまなきを千里の外まで眺めたるよりも、暁ちかくなりて待ち出でたるが、いと心深う、青みたるやうにて、深き山の杉の梢に見えたる木の間の影、うちしぐ

れたる村雲がくれのほど、またなくあはれなり。[1]椎柴・白樫などの濡れたるやうなる葉の上にきらめきたるこそ、身にしみて、心あらん友もがなと、都恋しう覚ゆれ。

1 叢生している椎の木。

すべて、月・花をば、さのみ目にて見るものかは。春は家を立ち去らでも、月の夜は閨のうちながらも思へるこそ、いとたのもしう、をかしけれ。

よき人は、ひとへに好けるさまにも見えず、興ずるさまも等閑なり。片田舎の人こそ、[1]色こくよろづはもて興ずれ。花の本には、ねぢより立ち寄り、[2]あからめもせずまもりて、酒のみ、連歌して、はては、大きなる枝、心なく折り取りぬ。泉には手・足さしひたして、雪にはおりたちて跡つけなど、よろづの物、よそながら見る事なし。

1 しつこく。　2 わき目もしないで、じっと花を見守り。

さやうの人の[1]祭見しさま、いと珍らかなりき。「[2]見事いとおそし。そのほどは桟敷不用なり」とて、奥なる屋にて酒飲み、物食ひ、囲碁・双六など遊びて、桟敷には人を置きたれば、「渡り候ふ」といふ時に、おのおの肝つぶるるやうに争ひ走り上りて、落ちぬべきまで簾張り出でて、押し合ひつつ、一事も見洩さじとまぼりて、「とあり、かかり」と物ごとに言ひて、[3]渡り過ぎぬれば、「また渡らんまで」と言ひておりぬ。ただ物をのみ見んとするなるべし。都の人のゆゆしげなるは、睡りて、いとも見ず。若く末々なるは、宮仕へに立ち居、人の後にさぶらふは、様あしくも及びかからず、わりなく見んとする人もなし。

1賀茂の祭。　2ここでは祭の行列のこと。　3行列。

何となく葵かけわたしてなまめかしきに、明けはなれぬほど、忍びて寄する車どものゆかしきを、それか、かれか、など思ひ寄すれば、牛飼・下部などの見知れるもあり。をかしくも、きらきらしくも、さまざまに行き交ふ、見るもつれづれならず。暮るるほどには、立て並べつる車ども、所なく並みゐつる人も、いづかたへか行きつらん、ほどなく稀になりて、車どもの[1]らうがはしさもすみぬれば、簾、畳も取り払ひ、目の前にさびしげになりゆくこそ、世の例も思ひ知られて、あはれなれ。大路見たるこそ、祭見たるにてはあれ。

1混雑。

かの桟敷の前を[1]ここら行き交ふ人の、見知れるがあまたあるにて知りぬ、世の人

第137段

数もさのみは多からぬにこそ。この人みな失せなん後、我が身死ぬべきに定まりたりとも、ほどなく待ちつけぬべし。大きなる器に水を入れて、細き穴を明けたらんに、滴る事少しといふとも、怠る間なく洩りゆかば、やがて尽きぬべし。都の中に多き人、死なざる日はあるべからず。一日に一人、二人のみならんや。鳥部野・舟岡、さらぬ野山にも、送る数多かる日はあれど、送らぬ日はなし。されば、棺をひさくもの、作りてうち置くほどなし。若きにもよらず、強きにもよらず、思ひかけぬは死期なり。今日まで逃れ来にけるは、ありがたき不思議なり。暫しも世をのどかには思ひなんや。[2]継子立といふものを双六の石にて作りて、立て並べたるほどは、取られん事、いづれの石とも知らねども、数へ当てて一つを取りぬれば、その外は逃れぬと見れど、またまた数ふれば、かれこれ間抜き行くほどに、いづれも逃れざるに似たり。兵の軍に出づるは、死に近きことを知りて、家をも忘れ、身をも忘る。世を背ける草の庵には、しづかに水石をもてあそびて、これを余所に聞くと思へるは、いとはかなし。しづかなる山の奥、無常のかたき競ひ来らざらんや。その死にのぞめる事、[3]軍の陣に進めるに同じ。

1たくさん。　2黒白の石十五個を方陣に並べ、十番目を次々に抜いてゆく遊び。　3戦場。

この段は『徒然草』下巻の巻頭に据えられ、古来、代表的な章段とみなされ、まず問題に取り上げられることが多かった。『徒然草』に最も早く言及した正徹は「花はさかりに、月はくまなきをのみ見る物かはと、兼好が書きたるやうなる心ねをもちたるものは、世間にただ一人ならではなきなり。このこころは生得にてある也」(『徹書記物語』)と、この段の書き出し部分をあげて兼好の「心ね」を賞揚する。一体、この「心ね」とはどういうことを意味したのだろうか。「兼好が書きたるやうなる心ねをもちたるものは、世間にただ一人ならではなきなり」の一文の解釈は、どうも見かけほどにたやすくないようである。「世間にただ一人」を不世出の天才ととってしまうには、文のねじれが気にならないだろうか。もっとも「世間にただ」の部分を欠く異文も存在するので、この方が正しいとするなら、このような精神をもち得る者は、またと生まれ得ない天才(「生得にてある」者)と解せないこともない。いずれにせよ正徹がこの段から読みとった問題は「つれづれわぶる人は、いかなる心ならん。まぎるるかたなく、ただひとりあるのみこそよけれ」(七十五段)と関連がある「ただ一人」だと考える。

正徹の弟子心敬はさらにこの段の前半にふれ、「兼好法師が云はく、月花をば目にて見る物かは。雨の夜に思ひあかし、散りしほれたる木陰に来て、過ぎにしかたを思ふこそと書き侍る。まことに艶ふかく覚え侍り」(『さゝめごと』)と記している。ここには明らかに「雨の夜に思ひあかし、散りしほれたる木陰に来て、過ぎにしかたを思ふ」世捨人の孤独がとりあげられているのである。正徹が「世間にただ一人ならでは」という時、世間にまたと見られないという意味の他に、世間にまぎれて日をすごすことなく、「ただひとりある」孤独者の内面に沈潜する「心ね」が考えられていたのではなかろうか。そう考えると、この段の内容を「完成美とか完全円満なもののみが美の極致ではないといった思想」と解することはいかにも皮相な見解に思えてならない。

物が生きた姿を開示する時　本文は便宜的に八節に区切ったが、この第一節については、宣長の有名な批評がある。「兼好法師が徒然草に、花はさかりに、月はくまなきをのみ見る物かはとか言へるは、いかにぞや」と疑問を提出し、「かの法師がいへるごとくなるは、人の心にさかひたる、後の世のさかしら心の、作り風流（みやび）にして、まことのみやびごころにはあらず。かの法師がいへる言ども、此のたぐひ多し」(『玉かつま』)と、兼好の論理を全面的に否認する。この宣長の批判に対して永積安明氏は「いわば自然主義的な現実主義の立場を固執した宣長にとって、それなりに当然の批判であった」としながらも、「兼好の本意は、すでに発見されてもいた『散り過ぎ』た花や『散りしをれたる庭』の美しさを、ここで意識的・自覚的に再評価し、これらを、『さかり』の花や『くまなき』月の美に対置しながら、より次元の高い美として主張しているのである」(「方丈記と徒然草」『岩波講座日本文学史』第四巻)と兼好の美意識を評価している。永積氏が「より次元の高い美」とした内容を安良岡康作氏は「観照的立場が確立し、複雑な知性的自覚によって始めて生じた『情操』と言い得る」(『全注釈』)とさらにくわしく分析するのであるが、兼好がこの段で提出した問題は「次元」とか「情操的深化」といった言葉ではつくせないものがあると考える。また桜井好朗氏は「満開の花や満月ばかりを見ようとする」態度を否定する兼好の思想の根底に「ありと見るものも存せず。始ある事も終なし」といい、「人の心不定なり。物皆幻化なり」と説く（九十一段）無常観を媒介とした「見る」行為のあり方を読みとり、「不安定でうつりゆく無常の相への認識が、その背後にある」と指摘している（「卜部兼好」『日本思想の名著12選』所収）。こうした諸説のなかで私は、西尾実氏の「まことに、目で見ることは部分を見ることである。わが物として見ようとすることは、生命なき断片として見ることである。心で思うことによってのみ、その全体が見え、『よそながら見る』ことにおいてのみ、その物がその物としての生きた姿を示すことは事実である」（『つれづれ草』作者の人間観と教育の問題」『つれづれ草文学の世界』所収）とする見解に多くの示唆を受けるのである。

かかわりにおいて存在するもの　私はこの段の主題に迫るためには、「兼好が書きたるやうなる心ね」の問題に立ちかえる必要があると考える。桑原博史氏は「花は盛りに、月は隈なきをのみ見るものかは。この起筆自体が、すでに花と月を、人間からきりはなして論じようというのでなく、見る態度とのかかわりにおいて考えようとする姿勢を示している」（『徒然草の鑑賞と批評』）と、「かかわりにおいて」初めてとらえ得る月・花の存在を問題にしている。花や月は、対象的な美として存在するのではなく、花や月に親しんできた経験の持続が「あはれに情ふか」い情趣や「見所」を覚えさせるのである。「雨にむかひて月をこ」うる心は、「対雨恋月」（『和漢朗詠集』に見える詩題）といった伝統的な美の規範へと収斂してゆく心ではなく、月をめで、月の出を待ち、「月の傾くを慕」い、月の沈むのを惜しんできた、月との親密なかかわりの成熟を前提とした経験の表現だったのである。それを宣長のように「作り風流(みやび)」として否定するのは問題ではなかろうか。それは人間的な親しみの感情が生み出す心の真実な姿としか言いようのないものである。それに対し「この枝かの枝、散りにけり。今は見所なし」と、対象物だけを問題とする態度は、それこそ事物を抽象化することによって自分自らをも空疎なものにする道でしかない。「よろづの事も、始め終りこそをかしけれ」という見方は、時間の経過のなかで事物との親密なかかわりをとりもどすための精神の方法だったのである。色好みの精神も、「ただ逢って契りを交わす」結果だけを求める本能的行為に宿るものではなく、「逢えないで終わってしまったつらさ」や「遠く離れてしまった恋人を思いやる」心的なかかわりそのものの密度でしかないことを兼好は主張する。

面影としての自然

西尾氏の言葉にあった「その物がその物としての生きた姿を示す」ということは、「人と自然とのかかわり方」を離れて考えられない問題である。その時、「かかわり方」を規定する「人」とは、欲望の自然に支配された「人」であってはならない。欲望はとかく対象物を欲望充足のための手段と化してしまうからである。兼好が和歌や漢詩の文化的な世界を重視するのは、そうした文化に習熟した心のみがもたらす存在の輝きを愛したからである。第三節の月の趣きは、そうした貴族文化の伝統によって鍛えぬかれた心が発見し得た自然の面影であった。いうまでもなく、兼好の体験に裏づけられた美の世界であったに違いないが、体験そのものを成り立たせている要因は、王朝文化の結晶としか言いようのない面影なのである。深(み)山の暁の月を「杉の梢に」見出したり、「木の間の」光(影)として発見したり、「うちしぐれたる村雲がくれ」

の面影として見る心の働きは、題詠によって訓練された想像力の所産としかいいようがない。それをしも「作り風流（みやび）」というならば、文化の伝統は無意味なものとなり、創造的な人間の営みも根拠を喪うに至る。「椎柴・白樫などの濡れたるやうなる葉の上にきらめきたる」暁の月光は、単なる肉眼に映った光ではなく、暁の月の光を日常不断に求め続けてきた〈心〉の発見でもあったのである。「しみじみと、情趣を解する友がいたら」と、都を恋しく思うのは、そうした発見の喜びを人とわかつことで経験を文化へと普遍化したかったからだと思われる。兼好にとっての経験とは、貴族文化の伝統を生きることだったのである。肉眼で見る対象よりも、文化的な面影としての自然の方が「いとたのもし」く、興趣深かったのは、貴族文化が精神の母胎である以上当然なことであった。兼好にとってはよくもあしくも、それ以外の根拠は存在し得なかったのである。

無秩序な精神のエネルギー

文化によって精神を秩序だてることを知らない粗野な人間は、つねに直接的に物に幻惑され、「よろづの物」を「よそながら見る事」ができない。「よそながら見る」ということは、文化を媒介として精神と対象との関係を秩序づけることである。よからぬ人は、「花の咲いた木があれば、木の回りを大仰な身振りで回ったり、木に体をねじ寄せたりして、わき目もせずに花を見つめ、酒を飲み、連歌に興じたりして、あげくの果は、大きな枝を何の考えもなく折り取ってしまう」といった無礼講へと流されてしまう。そこでは花と人とのかかわりは二の次となり、粗野な人間同士がかもし出す生の過剰なエネルギーの奔騰に身をまかすに至り、たわいもない狂騒が現出する。兼好が、「さやうの人の祭見しさま」を問題にしたのは、「ただ物をのみ見んとする」精神の惑乱を具体的な見聞によって語りたかったからだと思う。無教養な人間とは、そもそも己れを律する文化を持たない者の謂である。したがって「ただひとりある」ことに耐え得ないままに、気晴らしを求め、狂騒のうちに我を忘れようとする。そうした人間に対し、「都の人のゆゆしげなる」(高貴に見える人の)祭見物の様子を対比し、またして「よろづの事も、始め終りこそをかしけれ」の原則を確認する。「何ということもなく、あたり一帯に葵をかけ渡した場所に、夜が明けきらないうちから人目に立たないようにそっと道ぞいに祭見物のための車を寄せ」る人の立場から筆を起し、祭のすべての行事が終って、もとのひっそりした大路の様に帰るまでの一日の推移を味わうことを「祭見たるにてはあれ」と考える態度は、存在を時間の中でみる認識に支えられた物の見方と言わねばならない。

死を見つめる心　美意識の問題から説きおこした文章が、「我が身死ぬべきに定まり」たる運命に説き及び、「その死の運命にさらされていることは、戦場に身を進めているのと同じである」といった死の自覚で結ばれるのは何故だろうか。本段の構想を大きくまとめるなら、「花はさかりに」から、「よそながら見る事なし」の五節分を第一段落とし、「さやうの人の祭見しさま」から「祭見たるにてはあれ」までを第二段落、以下を第三段落と分けられる。そうして花・月・祭を焦点にとりあげたのは、それらが代表的な見ものであったからであろう。そしてここで兼好が主張したかったことは、「よろづの物、よそながら見る事」のない俗人に対する批判であり、かつまた「若きにもよらず、強きにもよらず、思ひかけぬは死期なり。今日まで逃れ来にけるは、ありがたき不思議なり」という時の「ありがたき不思議」ともいうべき〃生〃の時間への愛惜の心であったと考える。兼好が花・恋・月・祭といったように、殊更に心をかき立てないではおかない対象を取りあげ、満開の花・満月・交情の充足・祭の行列といったような頂点だけに関心を示し、その他の時間を無視するような、いわばご都合主義の態度を否定したのは、生きてある持続の時間のひと時ひと時の「あはれ」を「身にしみて」見つめることをよしとしたからであると考える。「よき人は」「興ずるさまも等閑(なほざり)なり」といったり、祭の行列に対し「都の人のゆゆしげなるは、睡(ねぶ)りて、いとも見ず」と書いているのは、以上のことと矛盾するように考えられるが、こうした叙述は、花の下にねじり寄って花だけを見ようとする態度や、祭の行列だけに関心を示す見方への批判として書かれたことであって、そこには人間の〃生〃の持続がもたらす経験の成熟を重視する思想が秘められているのである。「春は満開の花の名所を求めてわざわざ外出しなくても、秋の月の夜は寝間の中にいたままでも、心のなかで花や月を思い見ることができ、その方がいつまでも興趣がつきることがなく、手ごたえがある」といった月・花のとらえ方は、なにも「作り風流(みやび)」ではなく、生きてある生の時間のなかで花や月に馴れ親しんできた習熟のあかしともいうべき、親密な花や月が心に見えてくる「ありがたき不思議」を表現した言葉と解すべきではなかろうか。

第百四十一段　悲田院堯蓮上人は

[1]悲田院堯蓮上人は、俗姓は三浦の某とかや、双なき武者なり。故郷の人の来りて物語すとて、「吾妻人こそ、言ひつる事は頼まるれ。都の人は、ことうけのみよくて、実なし」といひしを、聖「それはさこそおぼすらめども、己は都に久しく住みて、慣れて見侍るに、人の心劣れりとは思ひ侍らず。なべて、心柔かに、情ある故に、人の言ふほどの事、[2]けやけく否びがたくて、よろづえ言ひ放たず、心弱くことうけしつ。偽りせんとは思はねど、乏しくかなはぬ人のみあれば、おのづから、本意通らぬ事多かるべし。吾妻人は、我がかたなれど、げには、[3]心の色なく、情おくれ、ひとへにすぐよかなるものなれば、始めより否といひて止みぬ。にぎはひ豊かなれば、人には頼まるるぞかし」と[4]ことわられ侍りしこそ、この聖、声うちゆがみ、あらあらしくて、聖教の細かなる理、いと弁へずもやと思ひしに、この一言の後、心にくく成りて、多かる中に寺をも住持せらるるは、かくやはらぎたる所ありて、その益もあるにこそと覚え侍りし。

1京都市上京区にあった寺。　2きっぱりと。　3心のやさしさ。　4道理を明らかにされましたことは。

印象的判断による誤解

ここには二つの印象的な判断の誤りが語られている。その一つは関東から上京してきた人が「関東の人は、一度約束した事は信頼できるけれども、京都の人は、口先の請合いだけはよいが、それを実行する誠意がない」と語った批評であり、もう一つは、関東なまりをもち、その風貌や動作が粗野な堯蓮上人に対し、兼好自身が、仏典の微妙な教理を十分理解していない人ではなかろうかと思っていたことである。そうした誤解のもとには、東国人が都人に対していだく無自覚な劣等感の裏がえしや、京都人である兼好のいわれなき優越感があったであろうことはその文面からも想像できる。東国人と京都人との交流が盛んとなった南北朝時代の前後は、そうした偏見が一般化していたらしい。ところが、そうした偏見にもとづく兼好の誤解は、堯蓮上人の一言で見事に解消されてしまう。堯蓮上人は同郷人だからといって安易に話の調子をあわせないで「あなたはそうお思いになるでしょうが、わたくしは、都に長い間住んで、都の人と馴れ親しんでみましたところ、都の人の心が関東の人にくらべて劣っているとは思いません」ときっぱりと言ってのける。

一面的な見方の限界

堯蓮上人は、同郷人が「都の人は、ことうけのみよくて、実(まこと)なし」と批評した言葉を一応は認める。しかし、非難されるような行為の原因が相手の願いに耳を貸そうとする都人の人間的な長所に根ざすことを認め、相手の心に理解を示そうとしない東国人の人情味の乏しさが結果として非難を招くような事態をつくらないだけだという反面を端的に指摘する。都人は「一般に感受性が豊かで人情味があるから、人の願い事をはっきりとことわりかねて、自分の都合を主張しないために心弱くひき受けてしまう」という心のやさしさが非難の因をつくってしまうのに対し、「心のやさしさがなく、感受性が養われていないために、心になんの負担も感じないままにぶっきらぼうな態度がとれる東国人は、最初からきっぱりと人の頼みを断って済ましてしまう」から非難を免れているに過ぎないというわけである。それに人間の善意を左右する物質的な条件が、都と関東人とではまるで違うので、都人は心ならずも思い通りにならないことが多く、関東人は裕福なので労せずして他人の信頼にこたえることができるにすぎないともいう。そうした全体的な条件のなかで物をとらえると、「故郷の人」のような単純な比較が成立しないということを堯蓮上人は説いたのである。

堯蓮上人について　堯蓮上人の伝記は今のところ全くわからない。それに悲田院というのは、かつて施薬院と共に貧民救済のための施設であったが、平安時代の末には火事で廃亡し、その跡地に再興された寺であるらしい。それに、堯蓮上人は俗姓を三浦のなにがしといい、「並ぶ者のない武士であった」とすると、頼朝挙兵に応じた三浦半島に勢力を張った豪族、三浦氏の出身と考えられる。しかし、この三浦氏は北条氏と対立し、一二四七年に滅ぼされてしまったので、非運の一族の出身者として都にのぼり僧となった人とも想像される。堯蓮はそうした不運に耐えて仏教を学んできたからこそ、順調な境遇で学問を励む学僧とは違って、人間理解の「やはらぎたる所」（自己にとらわれない柔和な心）を身につけるに至ったと考えられる。

宗教者のあり方としては、その教学上の知識の多寡よりも、人の心を深くとらえる言動を重く見る兼好の立場が『徒然草』には一貫してみられる。「その物につきて、その物を費しそこなふ物（だめにしてしまうもの）、数を知らずあり。身に虱（しらみ）あり。家に鼠あり。国に賊あり。小人に財（たから）あり。君子に仁義あり。僧に法あり」（九十七段）というように、仏法の権威をふりまわすような僧を痛烈に揶揄する兼好は、他者に対する想像力を欠如した、かたくなな人間に対しては大変否定的であった。この次の第百四十二段には「心なしと見ゆる者も、よき一言いふものなり」という書き出しで始まり、外見は粗野で荒々しく見える無教養な田舎人でも、経験のなかで身につけた真実な言葉を語ることができる事実を紹介する。それに比して生活の条件に恵まれた人間が思いあがった心から下層の民衆を軽蔑するのは間違いだと指摘する。とくにこの第百四十二段は、抽象的・観念的な人間のとらえ方を排し、現実的な生活のなかで人間の在り方を見きわめた上で政治のあり方にもふれており、兼好の政道批判を知る上でも興味深い章段である。

第百五十五段　死は前よりしも来たらず、かねて後に迫れり

世に従（したが）はん人は、まづ機嫌（きげん）[1]を知るべし。ついで[2]悪（あ）しき事は、人の耳にもさかひ、心にもたがひて、その事成（な）らず。さやうの折節（をりふし）を心得べきなり。ただし、病を受け、子うみ、死ぬる事のみ、機嫌をはからず。ついで悪（あ）しとて止（や）むことなし。生（しやう）・住（ぢゆう）・

異・滅の移り変る実の大事は、たけき河のみなぎり流るるがごとし。しばしも滞らず、ただちに行ひゆくものなり。されば、[3]真俗につけて、必ず果し遂げんと思はん事は、機嫌を言ふべからず。とかくの[4]もよひなく、足を踏み止むまじきなり。

春暮れて後、夏になり、夏果てて、秋の来るにはあらず。春はやがて夏の気をもよほし、夏よりすでに秋はかよひ、秋はすなはち寒くなり、十月は小春の天気、草も青くなり、梅もつぼみぬ。木の葉の落つるも、まづ落ちて芽ぐむにはあらず。下より[5]きざしつはるに堪へずして落つるなり。迎ふる気、下に設けたる故に、待ちとるついで甚だはやし。生・老・病・死の移り来たる事、また、これに過ぎたり。四季はなほ定まれるついであり。死期はついでをまたず。死は前よりしも来たらず、かねて後に迫れり。人皆死ある事を知りて、待つことしかも急ならざるに、覚えずして来たる。沖の干潟遥かなれども、磯より潮の満つるが如し。

1時期、しおどき。　2順序。　3「真」は「真諦」で出世間の法のこと、仏道修行を意味し、「俗」は「俗諦」で俗世間の道理のこと、世俗の事に処することを指す。　4用意、準備。　5新しい命の芽が育ち始めること。

情況と主体　この段では、まず「世間の情勢に対応しながら成功を収めようとする人は、何よりもまず、事を行なうしおどきを知らなくてはならない」と述べる。この〝しおどきを知る〟ということについてだけなら、第百二十六段で、ある者の言葉として、つぎのように記している。「ばくちの（ばくちうちが）、負きはまりて（負けきってしまって）、残りなく打ち入れんとせんにあひては、打つべからず。たち返り（つきが逆転して）、続けて勝つべき時の至れると知るべし。その時を知るを、よきばくちといふなり」という。賭け事においても、そこに働く「機嫌」（事を行なうしおどき）を察知し、勝機を先どりすることができる者が「立派なばくち打」であるというわけである。政治・経済・文化といった大情況を相手どり、その動向に乗じて世俗的な成功を収めようとする場合も、「よきばくち」のような明察が必要で、情勢にあわない努力は不毛な結果しかもたらさないというわけである。したがって「世に従はん人」は我執にとらわれない目で、物事のしおどきを見ぬくことが第一の肝要事でなくてはならない。しかし、自己本来の面目にねざした願望の実現を期そうとする人は、時機を問題にすべきではないと主張する。本当の意味での主体性は、好機をつかんで時流に乗じるところに働くものではなく、あえて情況を切り捨て、「諸縁放下」の「ただ今」の時間に降り立ち、自己のなすべき事を決断するところに成就すると兼好は考える。兼好は、永遠の「今」にふれ得る「時」というのは、目的実現の過程として「折節を心得」るところにはなく、時機を問題としない（「機嫌をいふべからず」）実践そのものに凝集してゆく所に感得できると考えた。それ故に「あれこれと準備することなく、そこで足踏みしてためらってはならない」と説く。

時間において存在するもの　仏教で説く「生・住・異・滅」の「四有為相」と、「生・老・病・死」の「四苦」の理念を前段と後段にかかげ、存在と人間を貫く無常の実相を明らかにするとともに、兼好はそこに新しい視座を構築する。「物が生じ、存続し、変化し、滅び去る」という四相を、継起的な現象ととらえないで、存在の時間的な性格そのものに内在する動勢のベクトルとしてとらえる。「春が過ぎた後に夏がやって来、夏が終わってから秋が来るのではない。春は、そのうちに夏への気配をはらみ始めているのであり、夏の間に既に秋が入りきたっている」というように、「生」の相の内にすでに「住・異・滅」の三相を備え、「住」の相もまた「生・異・滅」といった矛盾をはらんだ動勢の緊張関係の一様相にすぎないととらえる。こうした「生・住・異・滅の移り変る」ことの「実の大事」に目を開く時、世間に順応するために「機嫌を知る」などということが、いかにはかない行為であるかが見えてくる。その時、「出家者にとっても世俗の生活人にとっても、必ずなし遂げようと思うような事」は、「あれこれの用意などを考えないで」、ただ今の決断においてただちに修することが、そのまま生の全体性の自己実現になるわけである。「たけき河のみなぎり流るる」ように推し移る〝時〟が、存在の無常の根拠であるから、存在そのものに立ちかえる道は、一瞬一瞬の無常なる〝時〟において〝生〟の充実をはかる以外にないのである。

生命の転化の相　永積安明氏は、この段を批評して、つぎのように述べる（「方丈記と徒然草」『岩波講座日本文学史』第四巻）。

ここで兼好は、自然の発展における自己否定および内在的超出作用の契機をとらえ、しかも、その展開の主体が、「下よりきざしつはる」新しい芽、つまり、新しい生命の主導的な力にあることを、明確に指摘している。しかも、生命の転化の相が、必らずしも漸進的にでなく、飛躍的におしすすめられるという事実さえも、みごとにとらえているのであって、ここでは、季節や生命の転化の相が、ほとんど弁証法的な発展において、とらえられているということができよう。

しかし、

この一段には、さまざまな発見があり、合則的な認識の重要な契機が、とりだされていながら、生命の転化を、一面的に生から死への道だけに限定したけっか、これらの貴重な発見も、さいごのところで、無常観の証明にきりかえられてしまう。だから、このばあい兼好は、いわば弁証法的思考に必要な条件をとりだすことに成功しているけれども、さらにそれを、十分な条件をそなえたものとし、現実的な論理として展開することができなかったとしなければならぬ。

と批判する。「現実的な論理」というのは、個としての生命を、歴史的社会的な場においてとらえることで、「死より生へ」の契機を見出すことであった。

たしかに永積氏のいうような批評は首肯されねばならない。しかし、兼好がいいたかったことは、生の内部にはらまれた死の契機の認識ではなかったろうか。しかも、その死の契機については、「木の葉が落ちるのも、まず落ちてから芽が出るのではない。葉の下から新しい生命のきざしが胎動し始める力に堪えきれなくなって落ちてゆくのである」というように、生命活動が個体を媒介にして実現してゆく時の、避け得ない矛盾として捉える。そして、死にはらまれた生の契機、生にはらまれている死の契機が「ただちに行ひゆく」（まっしぐらに実現してゆく）生命活動の「しばしも滞(とどこほ)ら」ない連続性の面もまた兼好は強調しているのである。一般に死の運命は、ある日突如として前から襲ってくるように考えられているが、兼好は、「死は前の方から来るとは限らない。前もってその背後に迫っているのだ」と教える。生そのものの背後に既に「きざし」ている死を自覚する時、人は始めて、とりとめない放心、もしくは気晴らしの狂騒の裡に時を費消することのはかなさを自覚するものである。兼好がこうした無常の自覚に立って求めたものは、「必ず果し遂げんと思はん事」をただちに行なうことによってもたらされる生の充足感（楽しみ）であった。第九十三段で「人死を憎まば、生を愛すべし。存命の喜、日々に楽しまざらんや」といい、「人皆生を楽しまざるは、死をおそれざる故なり。死をおそれざるにはあらず。死の近き事を忘るるなり」と「皆人」に語っている。このように兼好が、死を切実な問題と考えるのは、「生から死への道」の自覚を強調するためでなく、「死から生へ」の契機を重視したからであった。

第百五十七段　心は必ず事に触れて来たる

筆を執れば物書かれ、楽器を取れば音をたてんと思ふ。盃を取れば酒を思ひ、賽を取れば[1]攤打たん事を思ふ。心は必ず事に触れて来たる。かりにも不善の戯れをなすべからず。

あからさまに聖教の一句を見れば、何となく前後の文も見ゆ。[2]卒爾にして多年の非をあらたむる事もあり。かりに今、この文をひろげざらましかば、この事を知らんや。これすなはち触るる所の益なり。心さらに起らずとも、仏前にありて数珠を取り経を取らば、怠るうちにも、善業おのづから修せられ、散乱の心ながらも、[3]縄床に座せば、覚えずして禅定なるべし。

事・理もとより二つならず。外相もし背かざれば、内証必ず熟す。強ひて不信を言ふべからず。仰ぎてこれを尊むべし。

1さいころを使ってする賭事。　2思いがけず。　3禅僧が座禅の際に用いる縄張りの椅子。

縁と心　すでに第五十八段で「心は縁にひかれて移るものなれば」といっているように、兼好は観念的な精神主義の立場を認めなかった。「心は必ず何事かにかかわることで生じてくる」

ものだという認識は、兼好の場合「諸縁放下」の実践を導く。幸いにして死をまぬかれ、生きてある日々の「存命の喜び」を「閑(しづ)かなる暇(いとま)」のうちに見出した兼好は、過剰な欲望にうながされた快楽追求や、名誉欲にかられた克己的な精励を「顚倒(てんだう)の想」(本末をとり違えた考え方)と観じている(二百四十二段)。しかも、人の心は「事に触れて」「顚倒(てんだう)の想」に陥り易いとするなら、人は何よりもまず「事に触れ」る段階で用心する必要がある。「かりそめにも心の安らぎを奪うような不善のたわむれ遊びにかかわってはならない」という言葉は、直接には「攤(だ)打たん事を思ふ」を受けているが、その根底には、実体としての善心などを信用しない兼好のさめた認識が語られている。「不善の戯れ」から遠ざかるということは、そうした「戯れ」を誘発する「物」や「事」に近づかないということが必要なのである。そうした善へも悪へも動きやすい心を見てしまった兼好には、精神の自立性などという考え方、例えば「道心あらば、住む所にしもよらじ」(五十八段)といったような主体性論は謬見以外の何物でもなかった。

〃戯れ〃から〃本心〃へ　この段の書き出しで「筆」「楽器」「盃」「賽」といった、つれづれの手すさびの道具類をあげたことは興味深い。「筆」と「楽器」は恐らく兼好自身が「つれづれなるままに」手にすることの多かった道具であったに違いない。それに比し「盃」と「賽」とは、世人が「つれづれ」の気晴らしを求めて手がのびやすかった道具の代表と考えてよい。何ということもなく、それらの器物を手にすると、やがてそこから道具を用いる行為が誘い出されてくる機微に、兼好は「心は必ず事に触れて来たる」という人間性の法則を確認する。ここには、つれづれの「戯れ」が、やがて本格的な行為へとエスカレートしてゆくであろう必然が洞察されていたのである。「かりにも不善の戯れをなすべからず」という戒めには、ちょっとした〃不善の戯れ〃が〃不善の行為〃そのものを誘い導かずにはおかないという人間的必然の明察が語られている。そして、こうした考え方には、第八十五段の「狂人の真似とて大路を走らば、則ち狂人なり」といった思想とも通いあうものが考え方の根底に見てとれる。

〃戯れ〃から〃本心〃へという飛躍を仏道修行の方法に及ぼしてみると、第二節に述べられている「触るる所の益」の意味するところもおのずから理解される。

触るる所の益　「何かの機会にたまたま経典の一句に目をとめると、何ということなくその前後に記されている文章が目に入る」。そうした〃戯れ〃に等しい行為がきっかけとなって、「思いがけず、長い間の誤りを改める」というような「大事」が現出する。また「信心が全くおこらなくても、仏前に坐って数珠を取り経文を手にしていると、いい加減な態度でも、やがて善い結果をもたらす行為が自然と実践できるようになり、気が散って乱れた心であっても、縄床に坐ると、知らず知らずのうちに心が集中して雑念を払うことができる」という。恐らく当時盛行していた浄土宗と禅宗の修行法を念頭にして「事に触れて来たる」ところの益を述べたものと思われる。

そうした結論として、信心をともなわない形式的な所行をおとしめ、「ことさらにその不信心を問題にしてはならない」と述べ、真面目な信仰者の目から見れば「不善の戯れ」とも言えそうな形ばかりの外相をも「うやまって尊重しなくてはならない」と主張する。ここには遁世者兼好の仏道修行の原理が語られていないだろうか。「あからさまに聖教の一句を」見たり、「心さらに起らずとも、仏前にありて」数珠をまさぐったり、「散乱の心ながら」縄床に坐ってみたりするようなとりとめない修行であっても、もし正しく行なわれるならば、そこに必ず「内心の悟り」が得られるというのである。外相（外にあらわれた行為の姿）は必ず「内証」をともない、内証もまた外相において成熟するという経験的事実は、仏説が説く「事理不二」の原理を明らかに証明している。いたずらに肥大した観念によって「内証」をとらえることもなく、また演技的な空間（形式が支配する場）に無自覚にのめりこむような「外相」主義にもとらわれないで、「外相もし背かざれば、内証必ず熟す」という立場から兼好は仏道にかかわったと考えられるのである。

第百六十七段　他にまさることのあるは、大きなる失なり

一道にたづさはる人、[1]あらぬ道のむしろに臨みて、「あはれ、わが道ならましかば、かくよそに見侍らじものを」といひ、心にも思へる事、常のことなれど、よにわろく覚ゆるなり。知らぬ道のうらやましく覚えば、「あなうらやまし。などか習はざりけん」といひてありなん。わが智をとり出でて人に争ふは、角あるものの角をかたぶけ、牙あるものの牙をかみ出だすたぐひなり。

人としては、善にほこらず、物と争はざるを徳とす。他にまさることのあるは、大きなる失なり。品[2]の高さにても、才芸のすぐれたるにても、先祖の誉にても、人にまされると思へる人は、たとひ言葉に出でてこそ言はねども、内心にそこばく[3]のとがあり。慎みてこれを忘るべし。をこにも見え、人にも言ひ消たれ、禍をも招くは、ただこの慢心なり。

一道にもまことに長じぬる人は、みづから明らかにその非を知る故に、志常に満たずして、終に物にほこる事なし。

1自分の専門外の席。　2家柄や身分。　3多くの欠点。

専門分化の進行と競争心　兼好は人間の活力の根元に競争心を見ていたようである。「ある一つの道に関係している人が、自分の専門外の席に出席して『ああ、この席が自分の専門にかかわる集まりであったなら、これほどまで無関係に傍観してはおりますまいものを』と言ったり、心中に思ったりすることは普通よくあることだが」という言葉の背後には、知識と技術の専門化が急速に進んだ中世都市京都の専門家意識の断面が鮮やかに切りとられている。一般社会の序列は、家柄・身分・地位・財産といったような外面的な基準に照らして明確に認識されるが、専門を異にする人の場合は、それを格付けることはまず不可能である。同業の専門家の評価を期待し、その道の知識や技術を磨いてきた人も、専門外の人を相手どる時は、その道での実力を無視されてしまう。その時、競争心にうながされて努力してきた人は、自ら頼む所を無視された屈辱から、自己の才能を発揮できないことを恨めしく思うに至る。一芸一能の才を自負し、そこに優越感を覚える人間は、自己の才能が正当に評価してもらえないような席に臨むと、自分の価値が無視されたようないらだちから、つい前記のような言葉を口にしてしまう。本当に道のための修行であったならば、才能を人にひけらかすことは全く不要のことと言わねばならない。「あらぬ道のむしろに臨」み、その道の人が脚光をあびるようなことがあっても、それをねたんだりしないで、素直に「ああ、うらやましいことだ。どうして習っておかなかったのだろう」ぐらいに言っておくのがよいと兼好は説く。そして専門家が優劣を競うために、自分の得意とする知識をひけらかして他人と競争し、そこに優越感を覚えるとしたら、それは猛獣の所行に等しいと批判する。

無自覚な優越感　「人としては、善にほこらず、物と争はざるを徳とす」という言葉には、角をたてて争ひ、牙(きば)をむきだして闘う猛獣の所行に等しい競争心を否定し、〝人間らしさ〟を生きるための知慧の働かせ方が語られている。優勝劣敗の動物的原理を超えるところに〝人間らしさ〟があるとするなら、自分のすぐれた才能に奢り、他人と優劣を比べ競うところに情熱をおぼえることは禽獣の心と言える。人間の内面的なひずみの大部分は、そうした優越感や劣等感に起因するものとみなしてもそう誤りではない。そして無自覚な優越感ほど他人を傷つけるものである。

無自覚のうちに優越者の立場に身を置くものは、どうしても他人を見くだすような言動を免れないものである。兼好が「他人よりすぐれていることがあるのは、大きな欠点である」と言いきるのは、必ずしも他人との関係を問題にした言葉ではないが、慢心がかえって人間を卑しくするという事実を深く見抜いたことによると考えられる。他人との比較において自己満足する心ほど卑しいものはない。「家柄の高さでも、学問や技芸のすぐれていることでも、先祖に立派な人が出ているということでも、そこに優越感をいだく人は、たとい口に出して言わなくても、すでにそう思っていることだけで、その人の心中に重大な罪をはらむことになる」というのは、そうした優越感が他人の人格を無視し冒瀆する結果を導くからに他ならない。そうした慢心は、他人の目には馬鹿気たものにしか見えないものであるが、やがて、人に非難され、災難を招く原因になるというわけである。

一道に真に秀でた人　第三節で、兼好は本ものの専門家についてふれる。「一つの専門に本当に熟達した人は、自分ではっきりと自分の欠点を自覚しているから、自分が目指す目標に対し、いつも満足することがなく、最後まで優越感をいだくようなことがないものだ」と結論する。こうした現役の専門家に対し、次の第百六十八段では、現役として活躍する必要がなくなった老年の専門家についての理想が語られる。そこでは「志常に満たずして」精進する態度よりも、「老いぬと知らば」「閑かに身をやすく」(百三十四段)する態度が賞揚され、自ら「すたれたる所」(衰えたところ)を認め、第一線から身を引くのをよしとする。年老いても頑張り通し、老人でありながら盛りの人にまけないほどの才能を発揮する人を「一生、この事にて暮れにけりと、つたなく見ゆ」と批評する。この言葉には、知識や技術を超えた〝命〟の霊性に目を開く宗教的な自覚を第一義とする兼好の立場が表明されている。

第百八十七段　巧みにしてほしきままなるは、失の本なり

万の道の人、たとひ不堪[1]なりといへども、堪能の非家[2]の人にならぶ時、必ずまさる事は、たゆみなく慎みて軽々しくせぬと、ひとへに自由なるとの等しからぬなり。

芸能・所作[3]のみにあらず。大方のふるまひ・心づかひも、愚かにして慎めるは、得の本なり。巧みにしてほしきままなるは、失の本なり。

1下手。　2専門外の人。　3身体的動作。

己れの非を知る者の生き方　兼好は「万事にわたって、その道の専門家は、たとい不器用であるとしても、器用な専門外の人と比べてみる時は、必ずまさって見える」と言う。専門家は、それぞれの道のきわめがたい深さを知っているので、「つねにわが身を慎み、道を軽く見ない」で

修行するところから安定感がどことなく備わっているのに対し、素人は「自分の興味のむくままにふるまう」軽々しさを免れない。たゆみなく稽古を重ねた専門家には、おのずから「触るる所の益」（百五十七段）が身につくものであって、そうした修練を経た技(わざ)や型には、思いつきの面白さや才気ばしった器用さは見られないかもしれないが、そこには、確かな輪郭からにじみ出て、相手の心の深部に届く何ものかが見られるものである。「たゆみなく慎みて軽々しくせぬ」態度と「ひとへに自由なる」態度の違いは、前者が、他者と共有し得る客観的な道を基準に己れを鍛えようとする謙虚さに根ざすものであるのに対し、後者が、他者に対する自己顕示の高慢を免れないところにある。そうした自信過剰な態度がいかに危ういものであるかということを、馬乗りの名人にまつわる插話として語ったのが、この段の前に置かれた第百八十五段と百八十六段であった。

道の人の細心な心遣い　第百八十五段は、乗馬の名人と称されていた城陸奥守泰盛についての話である。泰盛は、下僕が馬を引き出すところから細心の観察をこらし、足をそろえてゆらりと敷居を越えて出てくるような馬は「これは気のはやった馬だ」といって乗るのをやめ、また敷居に足を蹴当てて出てくるような馬は、「これは動きの鈍い馬なので乗れば失敗するだろう」といって乗らなかったという。そこには自分の技術に対する過信が全く見られない。〝道を知る〟ということは、自分の技術や知識の限界を十分わきまえた本質的な謙虚さに立って対象とのかかわりを深めることであった。主我的な情念や自己過信の妄想に曇らされた目や心をもって事にあたる時は、対象をねじふせようとする無理から破綻をきたすのが当然である。兼好は第百八十五段を「道を知らざらん人、かばかり恐れなんや」という批評で結んでいる。兼好のいう「道」とは、単に技術をいうのではなく、「我」をたのむ心を捨てて、「物」と「我」との根源的なコミュニケーションの場に降り立つ方途を意味していたのである。

第百八十六段も「吉田と申す馬乗」の言葉を記しとどめた形式で、乗馬の道の心得を説く。心得の第一に、馬の手ごわさを知り、技術の可能性の限界を心得べきことをあげる。そのために馬の性質をよく観察して、強い所や弱点を熟知する必要があるという。第二には、道具の点検に細心の注意を払い、もし、くつわや鞍といったものに気がかりな箇所があったら馬を走らせてはならないという。この二つの、一見平凡な心得を「これ秘蔵の事なり」とまで強調しているのは、とかく自信におぼれ易い人間の弱点を深く洞察した上での言辞と言える。

成熟への道　兼好が「道」に求めたものは、人の耳目を集めるようなきわだった成果ではなかった。したがって「道の人」の心得は、そのまま日常的な「大方のふるまひ・心づかひ」に及ぼすことのできるような、至って平凡なものであった。しかし、この平凡さは、とかく非凡な事にのみ関心が動き易い凡人にとっては、かえって非凡な心得とも言える。この段での「得」の意味内容には、利益とか成功とかいった言葉では説明できないものがあり、あえて説明するなら「身についたものとなる」とでも言っておくべきではなかろうか。ごく日常的な動作でも「たゆみなく慎みて軽々しく」しないことによって、成熟への道が開けるのである。兼好はそうした成熟への方途を「道」と考えたようである。「道の人」を称揚しながらも、普通にいう名人芸の素晴らしさを語らないで、日常的な心得に注目したのは、すべての振舞が道に通じ、日常的な「心づかひ」においても、達人へと近づくことができると考えたからではなかろうか。器用な素質も、ほしいままな振舞のうちに消費されてしまうと、一時的には人目をひく成功をおさめるかも知れないが、本人にとって意味ある充実を人生にもたらすことなく終わってしまう。「失の本なり」とは、そうした時間の浪費を指していった言葉と考える。

第百九十四段　達人の人を見る眼

達人の人を見る眼（まなこ）は、少しも誤るところあるべからず。

たとへば、ある人の、世に虚言（そらごと）を構（かま）へ出だして人を謀（はか）る事あらんに、すなほにまことと思ひて、言ふままに謀（はか）らるる人あり。あまりに深（ふか）く信をおこして、なほ煩はしく虚言を心得そふる人あり。また、何としも思はで、[1]心をつけぬ人あり。また、いささかおぼつかなく覚（おぼ）えて、[2]頼むにもあらず、頼まずもあらで、案じゐたる人あり。また、まことしくは覚えねども、人のいふ事なれば、さもあらんとてやみぬる人もあり。また、さまざまに推し、心得たるよしして、賢げにうちうなづき、ほほ笑みてゐたれど、[3]つやつや知らぬ人あり。また、推し出だして、「あはれ、[4]さるめり」と思ひながら、なほ誤りもこそあれとあやしむ人あり。また、「異なるやうもなかりけり」と、手をうちて笑ふ人あり。また、心得たれども、知れりともいはず、おぼつかなからぬは、とかくの事なく、知らぬ人と同じやうにて過ぐる人あり。また、この虚言の本意をはじめより心得て、少しもあざむかず、構へ出だしたる人と同じ心になりて、力をあはする人あり。

愚者の中の戯れだに、知りたる人の前にては、このさまざまの得たる所、詞にても顔にても、隠れなく知られぬべし。まして、明らかならん人の、惑へる我等を見んこと、掌の上の物を見んがごとし。ただし、かやうの推し測りにて、仏法までをなずらへ言ふべきにはあらず。

1関心を持たない人。 2信用する。 3全く。 4そうであろう。

情報に操られる人間　この段で最も興味を惹くのは、一つの情報に対する反応を文字通り十人十色の態度に分類して見せてくれた点である。山崎正和氏が「兼好は実際に京都の都会化を身をもって体験した人であり、いってみれば日本で都市化現象というものを最初に筆にした随筆家だといえる」（『生存のための表現』）と評したのは、兼好の批評精神のあり方を考える上で新しい視点を提出した見解と言える。「異質な人たちがたくさん集まる都会」では、お互いの自己主張が、錯綜する利害関係に促されてイデオロギーへと結集され、情報操作による秩序形成が意図されるばかりでなく、一方では偶発的な流行現象を惹き起こすような評判とか噂とかいった「無構造な情報の渦」が、全く思いもかけない事件を惹き起こしたりする。南北朝の内乱のきざしをはらんだ時代にあって、さまざまな事件が情報の形で入りこんでくる京都に身を置き、情報に過敏な反応を示すさまざまな人間の様態を観察する時、兼好はそこに自分をも含めた人間の愚かさを見ないわけにはいかなかったようである。第五十段に、鬼になった女が伊勢から上京したという噂をめぐる都人の異常な騒ぎとその後の不穏な世相が簡潔な筆で描かれているが、この事件は、ちょっとした噂が何らかのはずみでたちまち「情報の自己増殖」をもたらすようになった大衆社会の様相を典型的に語る例と言える。

虚報に対する大衆的反応三態　「たとえば、ある人が、全く根拠のない情報を作り出して世人をだますようなことをした場合」に、そうした情報の受けとめ方について、兼好は、大衆の無批判の反応を三つの型に分類してみせる。第一は「虚報をすなおに真実と思いこんで、その人の言う通りにだまされる人」で、あえていうなら純朴な大衆の見本のような型である。第二は、「虚報を深く信じてしまって、そうした情報に加担する情熱をかきたてられるままに新しい嘘を言いそえて言いひろめようとする人」で、好奇心の強い軽率な大衆性を代表するタイプである。第三には、一般に無関心層とよばれる大衆の型を示す人をあげる。兼好は「うそを聞いても何とも思わないで、関心を持たない人」と規定しているが、この種の大衆は、自分の直接的な利害に無関係な情報には虚・実を問わず無関心で、健全な生活者の基層を形成している大衆と言える。

批判的な情報の受け手の様態　四番目以下に分類されたものは、情報の虚実に対する批判精神を持ちながらも虚報を無視できないでいる人々の反応の様態である。その第四に分類されているのは、情報に嘘を感じながらも、それを証明する手だてがないままに「信用するでもなく、信用しないでもなく、考えこんでしまう」タイプで、善良な懐疑派ともいうべき人である。五番目にあげられた型は、虚報を見ぬきながらも「人が言っている事なので、そうかも知れないと思って、そのまま見すごしてしまう人」で、これは無責任な善意に自己満足して事をやりすごそうとする偽善家と言えそうである。第六にあげられた人は、「情報の真偽についていろいろと推測をめぐらしたはてに、情報を見ぬく力のないままにわかったふりをして、人の手前を利口そうにふるまってとりつくろい、相手にこびて微笑まで示しながらも、情報の真相を皆目見ぬけない」タイプで、気弱な迎合家と言える。第七の型は、相手の嘘を推測によって見破り、「ああ、嘘であろう」と思いながらも、「なお、自分の判断に思い誤りがありはしないかと疑わしく思っている人」で、余りに慎重な懐疑派の態度と言える。さらに、第八番目に、虚報について推測をめぐらした結果、嘘の情報の発信人に対して優越感を覚えるままに「格別のこともなかったのだなあ」と笑って嘘を許してしまう無邪気な楽天家の反応がしるされ、九番目に虚報を見ぬきながらも、それを相手に感づかせないで、嘘であることがはっきりしている点についても全くふれないままに、一見だまされた人と同じ態度ですごす人をあげる。この型は自己本位の無抵抗主義者で、自己保身にたけた人の態度と言えそうである。最後に分類された型は、典型的なデマゴーグの行動様式で、兼好はそれを「情報発信人の意図的な嘘を初めから十分承知していながら、そうした虚報を少しも馬鹿にしないで、嘘を案出した人と同じ考えに立って、人をだますことに力を合わせる人」と説明している。以上、十通りの虚報の受取り方を分類したわけであるが、兼好がこれ程までに嘘にこだわったのは、「とにもかくにも、虚言多き世なり。ただ、常にある珍しからぬ事のままに心得たらん、よろづたがふべからず」（七十三段）といった情報観によるものと考える。

達人の明察　この前段（百九十三段）で兼好は「くらき人の、人をはかりて、その智を知れりと思はん、さらに当るべからず」（物の道理のわからない人が、他人のことを推測して、他人の智慧の程度がわかったと思うのは、全く見当はずれとしか言いようがないものである）と述べたのに対し、本段では「世間の道理に深く通じている人が、世間の人を見ぬく眼力は、少しも間違うところのあるはずがない」と主張する。世俗の言語行為を狂言綺語の戯れと見る仏者の立場を仮構した場合、ためにする情報のすべては虚報と言ってもよい。そうした虚報に虚実さまざまな反応を示す人間の行動様式は、利害関係にとらわれない人の明察をもってすれば、その言動や表情のはしばしからその人の内心の動きが隠れなく見通されるものであるという。その際、兼好自身の位置は「惑へる我等」にあったのであるから、「明らかならん人」は、仮りに想定された人格と言ってよい。そこには、「惑へるわれらを見」る仏の眼のはたらきが、己れ自身にも及んでいるといった予感が投影されていると思われる。兼好が「惑へる我等」を自覚する自己意識の内部に「達人の人を見る眼」を予想するのは、見られる自己と見る主体との間に衆生と仏との関係を考えたからではなかろうか。

第二百六段　あやしみを見てあやしまざる時は、あやしみかへりて破る

徳大寺右大臣殿、検非違使の別当の時、中門にて使庁の評定おこなはれける程に、官人章兼が牛はなれて、庁のうちへ入りて、大理[1]の座の浜床[2]の上にのぼりて、にれうちかみて臥したりけり。重き怪異なりとて、牛を陰陽師[3]のもとへつかはすべきよし、おのおの申しけるを、父の相国聞き給ひて、「牛に分別なし。足あれば、いづくへかのぼらざらん。尫弱[4]の官人、たまたま出仕の微牛をとらるべきやうなし」とて、牛をば主に返して、臥したりける畳をばかへられにけり。あへて凶事なかりけるとなん。

「あやしみを見てあやしまざる時は、あやしみかへりて破る」といへり。

1「大理」は別当の唐名、検非違使別当の坐る席。 2寝殿に設けられた高さ二尺ほどの方形の台で、上に畳を敷いて座所とする。 3陰陽寮に属して吉凶のうらないを職とした者。 4薄給の役人。

牛にまつわる怪異　この段は、徳大寺邸の中門の廊下で、検非違使庁の事務の評議をしていた間に、官人章兼の牛車の牛が、つないだ所を離れ、寝殿の母屋の内に設けられた長官の座席にあがって、反芻しながら横になっていたという事件をめぐる処置についての話である。牛が家の中に入ってくる事件をめぐる話は、大田南畝(なんぽ)が『玉葉』の事例に着目し、『南畝莠言(ゆうげん)』の巻一の一三に二例あげている。その一つは『玉葉』嘉応三年四月十日の次のような記事である。「泰茂来る。牛板敷の上に昇る、その事を問はんがために召すところなり。占ひていはく、下人の中、喧嘩事云々、四五日のうち、戊巳の日慎むべき云々。くだんの牛、則ち陰陽師に給ふなり」。もう一例は、承安三年七月十六日の記事で、「今日、家のなかに牛昇る、よって陰陽師に給ひ、祓を仰せをはんぬ」とある。これらの事例はこの事件よりほぼ百年ほどさかのぼることになるが、牛が家にあがった時は、災異の祥(しるし)として陰陽師に占わせるか、祓(はらい)をして牛を陰陽師にたまわるのがしきたりであったようである。この場合も「重大な怪事であるとして、牛を陰陽師のもとに送りとどけて、その吉凶を占う必要がある」と考えるのが普通であった。この場合もそうした観念にとらわれた役人は、不安のあまり、口々に処置を長官に申し立てたわけである。しかし、事件の報告を受けた「父の相国」は、「牛には何の考えもない。それに足があるからには、どこへでもあがらないことがあるだろうか。薄給の役人が、たまたま出仕するのに使ったやせ牛を没収される理由はない」といって、その牛を持主に返し、牛が横になっていた浜床の畳だけをお取りかえになった。ところが、その後、不吉なことは全く起こらなかったというのである。

因習にとらわれた心　『玉葉』には、牛が家の中に昇ったというような「怪異(けい)」だけではなく、もろもろの天変や動物の死体による死穢や、その他神社の樹木が倒れたとか、屋根に茸が生えたとかいった事を「怪異」と見て、そのつど陰陽寮の役人が占いをして、もの忌みを行なった記事が目につく。著者兼実も、そうした「怪異」の報告を陰陽師から受けた時に、災厄をまぬかれるための祓いを受けたこともあり、そうした情報は「凡そ近日天下、天変怪異あげて計(かぞ)ふべからず」と記される程であった。貴族社会を支えてきた保守的な秩序がいたるところで破綻を見せはじめた院政期から南北朝期にかけての貴族の間には、ことさらにちょっとした変事を「おもき怪異」とみなす風潮がひろまり、吉凶の卜占やお祓い・ご祈禱が盛んに行なわれるようになった。そのように、時代の変化を不安な心で受けとめた人々は、陰陽師の卜占に心の拠り所を求めたわけであるが、一方では事の道理に目ざめた人の間に、呪術を幻想と見なす合理主義の精神がみられるようになった。しかし、特権と古い権威をたよりに生きている人は、権威のシンボルの聖性を保持するために、ことさらに「天神地祇をあがめつつ卜筮(ぼくぜい)祭祀をつとめとす」(親鸞『正像末法和讃』)る必要があった。兼好の生きた時代は、開発・交易といった行為を媒介にして育ってきた現実主義の立場と、因襲の枠にとどまって旧秩序を墨守しようとする伝統主義の立場との対立が、政治や文化の面での対立として表面化した時代であった。そうした時代にあって、現世を「無常変易（へんやく）のさかひ」（九十一段）とみなした兼好は、当然に吉凶の因習をも信じなかった。第九十一段で、吉日を選んで始めたことで不首尾に終わったことを統計的に考察するなら、日の吉凶が何の意味も持っていないことが明らかになると主張し、「吉凶は人によりて、日によらず」と断言する。兼好は、この段や次の第二百七段にみえる徳大寺実基の言行に深い共感をよせ、「あへて凶事なかりける」と伝えられた事実に、たしかな証明を見とどけているのである。

開明的な精神の持主　第二百六段と二百七段の話題は、太政大臣にまで昇進した徳大寺実基に関する逸事である。第二百七段は、古来、神の化身として忌みおそれられていた蛇に関する話題である。京の西郊、亀山の地に離宮を造営するために地ならしをした際、大きな蛇が無数にたむろしていた塚を掘りあててしまったので、事の由を後嵯峨上皇に報じ、上皇からその処置についての御下問があった時、実基一人だけが、蛇のたたりをおそれる意見をしりぞけ、蛇を川に流し、塚を掘りくずすことを主張した。その結果「全く、蛇のたたりはなかった」というのである。この実基については、滝川政次郎氏が裁判に陪審の制度をとり入れようとしたデモクラチックな思想の持主であったことを明らかにしている（『国語と国文学』昭和六年十一月）。牛の話は、滝川氏が紹介した『官史記』や『左大史小槻季継記』に伝えられる話材とほぼ同話であるが、事件の日時が「庁始めの日」とあるのに対し、『徒然草』は「使庁の評定を行う日」と平常化され、牛についても同様に「糞ヲシタリケルホドニ」と伝えられているのに対し「にれうちかみて臥したりけり」

というように、ごく自然な動作に改められている。また「官人章国」が「官人章兼」と改められているが、章国も章兼も同僚であった。記録とのこうした相違は、『徒然草』の話材が「兼好の時代に京都の搢紳の間では可成り拡まってゐた実話」（滝川氏論文）に基づいて書かれたことによるものと考えられ、徳大寺実基の伝承は、合理性を尊重し、現実主義の立場をとる儒教的政治理想の体現者の面影を伝えるものであったと考えられる。安良岡氏は「彼の思想と人となりを知る資料として」『徳大寺入道相国記』の全文を『全注釈』に紹介し、「実基が、いかに『人ノ煩ヒ』、即ち、庶民の困惑を重視し、それを軽くし、無くすることをもって、政治の要諦と考えていたかがうかがわれると思う」と記している。兼好は実基の逸話によって、「あやしみを見てあやしまざる時は、あやしみかへりて破る」といった現実主義の精神を語りたかったのである。

第二百十一段　人は天地の霊なり

よろづの事は頼むべからず。愚かなる人は、深く物を頼むゆゑに、恨み怒ることあり。

勢ひありとて頼むべからず。[1]こはき者まづほろぶ。財（たから）多しとて頼むべからず。時の間に失ひやすし。才（ざえ）ありとて頼むべからず。孔子も時にあはず。徳ありとて頼むべからず。顔回も不幸なりき。君の寵をも頼むべからず。誅を受くる事すみやかなり。奴従へりとて頼むべからず。そむき走る事あり。人の志をも頼むべからず。必ず変ず。約をも頼むべからず。信ある事すくなし。

身をも人をも頼まざれば、是なる時は喜び、非なる時は恨みず。左右ひろければさはらず。前後遠ければ塞がらず。せばき時はひしげくだく。心を用ゐる事少しきにしてきびしき時は、物にさかひ、争ひて破る。ゆるくしてやはらかなる時は、一毛も損ぜず。

人は天地の霊なり。天地は限る所なし。人の性なんぞことならん。寛大にして極まらざる時は、喜怒これにさはらずして、物のために煩はず。

1強力な者。

自らを頼む人間の不安な生　第九十一段で「無常変易のさかひ、有りと見るものも存せず、始めある事も終りなし。志は遂げず、望は絶えず。人の心不定なり、物皆幻化なり。何事かしばらくも住する」と述べ、第二百四十一段で「如幻の生の中に、何事をかなさん。すべて、所願皆妄想なり」とまで兼好が否定する「幻化」の生、もしくは「如幻の生」とは一体何をさして言ったのであろうか。「人の心不定なり、物皆幻化なり」という時、兼好がこの言葉を介して見ていた世界は、人々が実生活と見なしている虚栄的な世界のはかなさだったのではなかろうか。生かされてある生の自然から限りなく遠ざけられた地平で、生の意味づけを自ら求め、自己意識の対象としての自己に執着する「顚倒(てんだう)の想」(二百四十二段)に呪縛された人生を、兼好は「如幻の生」と観じたのである。生きるための必要の限度を越えて、名誉や権勢に執着したり、欲望の限度を逸脱した性的な快楽を追い求めないではいられない人間の生の営みは、自意識としての「志」「望」が生み出す不安に自ら呪縛された妄想的な生と言える。兼好は何物をも頼み信ずることなく、生のはかなさに徹し切った時、人は始めて永遠の現在時に降り立って、存在の霊性に目を開くことが可能となると教える。

よろづの事は頼むべからず　兼好は「すべてのことは頼みにすることはできない」と道破する。そして人が一般に「頼み」としている対象を「勢ひ」「財」「才」「徳」「君の寵」「奴」「人の志」「約(束)」というように八例あげ、その頼みにならない理由を簡潔にのべる。この八項目は、二つずつ一組の形式であげられており、その四組はさらに二つに分けられる。まず階層身分社会における優越、もしくは人格的価値観における優越といった社会的評価に自己満足を求める生き方を否定し、つぎに、対人関係の信頼性を問題にしたわけである。前者は「他にまさることのある」(百六十七段)人が、「人にまされりと」自らを頼む誤りであり、後者は他人を頼むことの誤りである。権力と財力は、社会的な力関係の根幹をなすもので、力関係の場を生きる者の誰しもが最も頼みとしているものである。しかし、兼好は権勢や財産の頼み難さをまず指摘する。つまり、それらは自己に備わったものでないから、外的な条件の変動で忽ちのうちに失われてしまうというわけである。それに対し、学才や人徳はその人の身についたものでありながら、時勢にあわなかったり、運に恵まれなかったりした場合は世に用いられないで終わることもあるという。兼好があげる孔子と顔回の話は有名で、前者は『孔子家語(けご)』に「孔子曰はく、遇と不遇とは時なり。賢と不肖とは才なり。君子の博学深謀にして時に遇はざる者衆(おほ)し。何ぞ独り丘(孔子)のみならんや」とあり、後者は『論語』「雍也(ようや)篇」に「顔回なる者あり。学を好む。怒りを遷さず。過ちを弐(ふた)たびせず。不幸、短命にして死せり」とある。対人関係については、主従・朋友という縦・横の関係の頼み難さをあげ、自(身)他(人)ともに頼みにすることができないことを明らかにしている。

霊性の自覚　「自分をも他人をも頼みにしないで、物事がうまくいった時は喜び、うまくいかなかった時には恨みをいだかない」という生き方は、単にあるがままに生きるというような消極的な態度で実現しうる道ではない。「すべてのことを頼みにしない」というのは、生活世界での依存関係をあえて断ち切ってみることに他ならない。「ゆるくしてやはらかなる」とは、物事に処する際の判断を、つとめて中立に保つことである。そのためには、既成の観念や先入見を自覚的に押しとどめる必要があり、あるがままの自然に自己を任せることでは「左右ひろ」く「前後遠」い地平に降りたつことはできない。兼好はそうした自己超越の生き方が、「よろづの事は頼むべからず」という断念において実現し得ることを説いている。「人は天地の霊なり」という自覚は、自己中心の物の見方を完全に断ちきった時にひらけてくる世界の見わたしなのである。この表現は、鎌倉初期に成立した金言集『明文抄』に収められている「これ天地は万物の父母、これ人は万物の霊」(『尚書』)の句によったものであるが、兼好は「人は万物の霊」といった人間優越の思想は斥けている。人が天地の霊であるように、花も鳥も木も魚もそれぞれに天地を命とした存在と見るわけである。兼好が人をとりたてて「天地は限る所なし。人の性なんぞことならん」と言わねばならなかったのは、人が万物のなかで最も霊妙なものであることを主張したかったからでなく、本来「天地の霊」であるべき人間が、自意識のとりことなって自らを閉ざし、自己中心に関係をとらえる考え方を否定し、外物のために煩わされる愚かさから脱却するための根拠を明らかにしたかったからである。自らを頼み、自らのために他人を頼むことは、一見自立を求める生き方のように見えるが、本質は、我執をもって本来的な自己を蔽うことでしかない。兼好は、「頼む」という関係を否定することにより、「寛大にして極まらざる」開かれた世界を迎えいれ、「限る所」のない他者との関係において「人の性」の霊性を自覚したのである。

第二百十五段　「事足りなん」とて、心よく数献に及びて

平宣時朝臣、老ののち、昔語りに、「最明寺入道、ある宵の間に呼ばるる事あ

りしに、[1]『やがて』と申しながら、直垂のなくてとかくせしほどに、また使来りて、『直垂などの候はぬにや。夜なれば異様なりとも疾く』とありしかば、なえたる直垂、うちうちのままにてまかりたりしに、銚子に土器とりそへて持て出でて、『この酒をひとりたうべんが[2]さうざうしければ、申しつるなり。肴こそなけれ。人は静まりぬらん。さりぬべき物やあると、いづくまでも求め給へ』とありしかば、[3]紙燭さして、くまぐまをもとめし程に、台所の棚に、小土器に味噌の少しつきたるを見出でて、『これぞもとめ得て候』と申ししかば、『事足りなん』とて、心よく数献に及びて、興にいられ侍りき。その世にはかくこそ侍りしか」と申されき。

1すぐ参ります。　2さびしいので。　3松の木を棒状に削り、先をこがし油をぬり、点火して照明に用いる。

最明寺入道時頼の面影

鎌倉幕府第三代執権泰時とならんで名君の誇れを残した第五代執権時頼をめぐる昔語りが、この段と次の第二百十六段に記されている。両段とも語り手の話をそのまま記録したように書かれているが、本段では、直接話法の形式がとられ、作者はコメントを全くつけ加えていない。語り手の平宣時朝臣と兼好との縁は、ともに為世門の二条派歌人であったことによるものらしい。兼好が関東に下向した際、歌がとりもつ縁で宣時との面談の機会をもったと推測される。もしも、兼好の鎌倉下向が、通説のように徳治二年(一三〇七)であるとすると、平宣時は六十九歳にあたり、再度の下向が文保二年（一三一八）であるとすると、宣時は八十一歳の時のこととなる。宣時はさらに元亨三年（一三二三）、八十六歳まで生きているので、兼好は再々宣時を見舞っていたと考えられる。兼好は、時頼に親しくつかえたこの宣時から「平生の間、武略をもって君を輔け、仁義を施して民を撫す。しかる間、天意に達し人望に協ふ。終焉の尅、叉手して印を結び、口に頌を唱へて、現身成仏の瑞相を現ず。もとより権化の再来なり」（貴志正造訳『全釈吾妻鏡』五）とたたえられた時頼の生前の面影をつぶさに伝聞したわけである。時頼は宣時十九歳の時に出家し、その後は北鎌倉の山の内の地に住み、宣時二十六歳の弘長三年（一二六三）十一月二十二日に、臨終にそなえて移った最明寺北亭で三十七歳の生涯を閉じたのである。したがってこの話は、宣時が少なくとも四十年以前にさかのぼる想い出話を、四十歳も年下の兼好に語って聞かせたということになる。宣時の父朝直は、時頼の死に殉じて出家しようとした程、時頼と親しかった。北条氏一族として引付衆筆頭を勤め、年始の行事でも上席をしめるほど重んぜられていた父朝直は、公儀のたびに時頼邸に参候している。時頼は、十一歳年下のその子宣時を気楽な話し相手に選び親しんでいたわけである。

虚飾にとらわれない親しみ　酒を楽しみ心おきなく語りあう目的で、時頼は夜に入って宣時に使いを出すが、外出用の公服の準備に手間どっているらしい宣時の様子を察して「直垂などがないのですか。夜のことなので、どのような服装でもよいから、早くおいで下さい」と、再び使いを出す。それでよれよれの直垂姿のまま出向いた宣時を、時頼は手ずから銚子に素焼の盃をそえて迎え、「この酒を一人で飲むのがさびしいのでお呼びしたのです。あいにく酒の肴をきらし、それに家の者も寝静まったことだろうから、酒の肴になるようなものがあるかどうか、どんな所でも探して下さい」とあけひろげの態度で頼み、味噌をさかなに気持よく数献までも飲んでよい機嫌におなりになったという。宣時は時頼に関するそうした昔語りに、「その当時は、万事こんな風でした」といった感想をそえたわけである。多くの批評は、天下の執権がこのように倹約であったことをほめて書いたものとしているが、宣時の「その世にはかくこそ侍りしか」の言葉には、為政者の倹約賛美の念よりも、時代の気風と若き日の率直な人間関係をなつかしむ心がこめられているように読みとれる。礼装に身を固め、お互いの社会的な地位を認めあった上で成り立つような人間関係や、物質的な条件を整えた宴席の場で、情緒的な陶酔を共有するなれ合いの人間関係しか持てなくなった大人社会にあって、若き日の率直で飾りけのない純粋なつきあいを宣時はなつかしんだことと想像される。宣時は五十歳で幕府の連署をつとめ、六十四歳で出家し「宣時法師」と呼ばれるようになったが、幕府の重職をつとめた後の人間関係は、どうしても相手に遠慮を与えがちで、この話のような率直な交際は求めがたかったに違いない。それに何時の世でも、生活や自信の拠り所を社会的地位に求め、上下の秩序にしばられた生活を経験するようになると、人は解放的で自由であった若き日の人間関係を懐しむようになる。そうした親和的な人間関係に共感を寄せる者は、身分秩序に縛られた人間関係の歪みに批判的にならざるを得ない。兼好が、若き日に耳にした宣時の話を、自らもまた老年にさしかかろうとする頃になって、深い共感をもって想起したことは自然な心の動きと言える。

兼好と鎌倉　少なくとも二度は関東を訪れ、金沢の称名寺にはしばらく滞在したことのある兼好は、『兼好家集』で、金沢を「ふるさと」と呼び、称名寺に遺されている自筆書簡中でも、金沢を指して「故郷」と述べている。そうした東国生活の体験を持った兼好は、一見粗野と見える東国人の言動のうちに、都人的な虚飾文化に毒されない率直な人間性を発見し、深い感動を覚えたらしい。時頼は、そうした東国的文化が生んだ理想像であった。つぎの第二百十六段では、財力を貯えながらも質朴な生活を守り、客の饗応も食事の贅より親しみをこめたもてなしを心がけた足利左馬入道の話が記される。時頼が鶴岡八幡宮社参の帰路に、義理の叔父にあたる足利義氏を訪ねたところ、食事は「打ち鮑」「海老」「かいもちひ」の三膳だけであったが、夫妻と隆辨僧正が話相手をつとめ、時頼が期待していた足利産の染物三十匹を土産に贈ったという話である。二十代の青年執権が、一族の長老を親しく訪問し、相互に敬愛の心をつくす交歓風景に、兼好は共感をそそられたようである。この他、東国関係の話題としては、第百八十四段に、時頼の母松下禅尼が「煤けたる明障子の破ればかりを」「手づから小刀して切りまはしつつ張られ」た座敷に時頼を迎えたという話題を語り、「世を治むる道、倹約を本とす。女性なれども聖人の心に通へり」と感想を記している。その他、第十九段で、年末に「玉まつるわざ」を行なう東国の習俗を「あはれなりしか」と感想を述べ、第三十四段では、煉香の材料となる貝が「へなたり」と呼ばれて海辺に捨てられている光景に鄙びを感じとったり、第百十九段では、東国の庶民に好まれた鰹が上流階級の人にも珍重されるようになってゆくという生活文化の変化に注目したりしている。また第百四十一段の悲田院の堯蓮上人についての話や、東国の「荒夷」が「子ゆゑにこそ、よろづのあはれは思ひ知らるれ」と語ったことに深い感動を覚えたという第百四十二段の話には、東国人に対する自らの偏見の自覚と、人の情味を尊重する東国人の美質の発見を契機とした自己批判が読みとれるのである。

第二百三十六段　上人の感涙いたづらになりにけり

丹波(たんば)に出雲(いづも)といふ所あり。[1]大社(おほやしろ)をうつして、めでたく造れり。しだのなにがしとかや、[2]しる所なれば、秋のころ、聖海上人(しやうかいしやうにん)、その外も、人あまた誘(さそ)ひて、「いざ給へ、出雲をがみに。搔餅(かいもちひ)めさせん」とて、具(ぐ)しもて行(い)きたるに、おのおの拝みて、ゆゆしく信おこしたり。御前(おまへ)なる獅子・狛犬(こまいぬ)、背(そむ)きて、後(うしろ)さまに立ちたりければ、上人いみじく感じて、「あなめでたや。この獅子の立ちやう、いとめづらし。深き故あらん」と涙ぐみて、「いかに殿ばら、殊勝(しゆしよう)の事は御覧じとがめずや。[3]無下(むげ)なり」といへば、おのおのあやしみて、「誠に他にことなりけり。都のつとにかたらん」

などいふに、上人なほゆかしがりて、おとなしく物知りぬべき顔したる神官を呼びて、「この御社の獅子の立てられやう、定めて習ひある事に侍らん。ちと承はらばや」と言はれければ、「その事に候。さがなきわらはべどもの仕りける、奇怪に候ふことなり」とて、さし寄りて、据ゑなほして去にければ、上人の感涙いたづらになりにけり。

1出雲大社の神を勧請して。　2領有している所。　3あんまりです。

自己陶酔の情念　丹波国つまり今の京都府亀岡市出雲には、奈良時代に創建された出雲神社があった。この地はそもそも秦氏の開発地なので、『徒然草』の「しだのなにがし」は、「はだ(秦)」の誤記ではないかという説も行なわれている。いずれにせよ、この出雲の地の領主何某が、聖海上人その他の人を誘って「さあいらっしゃい。出雲神社詣でに。かいもちいでもご馳走しましょう」と物見がてらの社参をすすめ、田舎料理のもてなしをしようとした。山々の木が色づき始めた秋の一日、京都から丹波道約七里の道程をたどって、丹波一の宮を参詣した一行は、目新しい山村風景のなかに立派な社殿を見出し、大変に感動してしまう。なかでも、聖海上人には見るもの聞くもののすべてが珍しく見えたらしく、神社の社殿の前に置いてある獅子と狛犬が背中あわせに立っていることにすっかり感心してしまう。丹波に所領を持つ富裕な人の招待を受け、ご馳走の歓待にあずかった人々は、好意におもねる気持が手伝って、めいめいが競い合うように神社の立派さをたたえたに違いない。「ゆゆしく信おこしたり」という表現には、お互いが競い合うことで増幅されるそうした心の動きが読みとれる。聖海上人の「あなめでたや」という感動の頂点は、口々に神社の「めでたさ」をたたえ合った「あまた」の人達のはずむような雰囲気によってもたらされたものと言える。神社の縁起を聞かされ、境内に祭る末社の神々の由来の説明を受けた人々の目には、神域に在るものすべてが聖なる意味を秘めたものと映った。後ろ向きに立つ獅子の様がそうした目の働きにとらえられた時、「いどめづらし。深き故あらん」といった感動をかき立てたのは当然の成り行きであった。

事実と幻想　私たちは事実を「あるがまま」に見ているように思い込んでいるが、物と自己との関係における有意味的判断を留保しない限り、事実なるものは、つねに願望や観念の枠組を通して認識される意識の形式である場合が多い。『徒然草』のこの段の話は、そうした意識の形式には、現実的根拠がない場合もあり得ることを暴露したものと言える。聖海上人が、後ろ向きに立っている獅子・狛犬をいちはやく発見したことを手柄顔としたことは、それまでも、人々が小さな発見を話題にしながら、神社のめでたさをほめ合ってきたことがあったからだと想像される。聖海上人は、自分の発見を重大なものと思いこんで、いささか自慢げに「なんと皆さん、このすばらしいことにお気づきになりませんか。それではひどすぎます」とまで言い切ってしまう。そこで人々も、丹波の風俗にもの珍しさを覚える気持から、そこにまでも丹波の異風を見てとり、都への土産話の一つにしようとまで考える。一つの事実に珍しさを見た人達の一人は、そこに

「深き故」を読みとり、「殊勝の事」と感激してしまう。他の人々も、京風俗を基準とした時の異風として興味を寄せ、獅子・狛犬の置かれ方を有意味化してしまったわけである。ところが、この有意味化は、全く根拠のない幻想でしかなかったことが一挙に明らかになってしまう。上人が分別ありげな顔つきの神官を呼びとめて、「この御社の獅子の据えようは、きっと、そのいわれがあることでございましょう。ちょっと、承りたいものです」と言ったところ、「それなんですよ。いたずらの子どもたちがしでかしたけしからんことでございます」といって、獅子に近づき、普通の立ち方に置きなおして行ってしまったので、上人の感激の根拠が一挙に失われてしまったというのである。

現実の見え方　『徒然草』には、第百四十四段にこれと似た構成の話がある。短い話なので全文を口語訳で掲げることにする。

　栂尾の明恵上人が、道を通っていられた時、川で馬を洗う男が「あし（足）あし」と言ったので、上人は立ちどまって、「ああ、尊いことだ。『宿執開発の人』（前世の功徳が現世で見事な報いを得た人）だなあ。阿字阿字と唱えていることよ。どのような方のお馬ですか。あまりにも尊く思われることよ」とお尋ねになったので、「府生殿のお馬でございます」と答えた。すると「これはまた結構なことであることよ。阿字本不生ということなのだ。うれしい法縁を結んだことよ」と言って、感涙をお拭いになったということだ。

明恵上人は、真言宗の阿字観によって阿字本不生の理を説き、我執をひるがえす実践によって仏性の現前を観じた高僧であった。馬を農耕作業に有益な家畜としか見ない男が、泥でよごれた馬の足を洗うため「足（あし）、足（あし）」と叫んだ言葉を「阿字阿字」と唱えて阿字観の観法を行じている男と思いこんで尊がるところは、子供のいたずらを尊がった聖海上人の態度と共通するものがある。仏性をわかち持つことで馬と男が存在し、男が「阿字」を唱えながら仏としての馬を洗うと理解し、明恵はそこに仏と仏との関係を見出して「余りに尊く覚ゆるは」といった感激にひたる。そして馬の持主が「府生殿（検非違使庁・六衛府の下級の役人）」であると聞いて、馬とその持主といった所有関係までをも「阿字本不生」の道理の現実態とみなして感涙をぬぐったという。この話の明恵には、聖海上人と違って、確固とした世界観が背景にあるので、現実の偶然のいたずらで一挙に無意味化されてしまうような話ではない。しかし、両話に共通していることは、聖なる観念と俗の現実性との不条理な乖離を見つめる兼好の批評精神のあり方が、笑話の形式で語られているということである。

第二百四十段　わりなく通はん心の色

[1]しのぶの浦の蜑（あま）の見るめ[2]も所せく、[3]くらぶの山も守（も）る人しげからんに、わりなく通はん心の色こそ、浅からずあはれと思（おも）ふふしぶしの、忘れがたきことも多（おほ）からめ。

親・はらからゆるして、[4]ひたふるにむかへ据ゑたらん、いとまばゆかりぬべし。[5]世にありわぶる女の、似げなき老法師、あやしの吾妻人なりとも、[6]にぎははしきにつきて、「[7]誘ふ水あらば」などいふを、仲人、何方も心にくきさまに言ひなして、知られず、知らぬ人を迎へもて来たらんあいなさよ。何事をかうち出づる言の葉にせん。年月のつらさをも、「[8]分けこし葉山の」などもあひかたらはんこそ、尽きせぬ言の葉にてもあらめ。

すべて、よその人の取りまかなひたらん、うたて、心づきなきこと多かるべし。よき女ならんにつけても、品くだり、見にくく、年も長けなん男は、かくあやしき身のために、あたら身をいたづらになさんやはと、[9]人も心劣りせられ、わが身は、むかひゐたらんも、影はづかしく覚えなん。いとこそ、あいなからめ。

梅の花かうばしき夜の朧月に佇み、[10]御垣が原の露分け出でん在明の空も、わが身ざまにしのばるべくもなからん人は、ただ色このまざらんにはしかじ。

1「しのぶの浦の蜑の」は「見るめ」の序詞。　2人の見る目を海藻のみるめにかけた表現。　3歌枕であるが、くらやみにまぎれて女に逢う意を托している。　4公然と。　5暮らしを立てかねている女。　6生活が豊か。　7「わびぬれば身を浮草の根を絶えて誘ふ水あらばいなんとぞ思ふ」の歌による(『古今集』小野小町)。　8「つくば山端山繁山しげれども思ひ入るにはさはらざりけり」の歌による(『新古今集』源重之)。　9その女も思ったより下らなく感ぜられ。

10 貴人の庭や皇居の垣の内をいう。

恋愛と結婚　兼好は、恋愛の情熱に男女関係の本質を見る立場から、生活のための功利的な結婚には批判的であった。すでに第百九十段で「妻(め)といふものこそ、男(をのこ)の持つまじきものなれ」と主張し、結婚生活が男女関係の自然をいかに損うものであるかを指摘する。つまり、男女が公然と連れ添って日常生活を共にする間柄では、本心を偽って体面を生きるような偽善に陥るか、馴れ合いの惰性に身をまかせるかして、新鮮な男女関係の味わいを喪わざるを得ないと言う。兼好は再びこの段で、公然化した男女関係である結婚について否定的な意見を述べる。卑俗な好奇のまなざしにさらされることから逃れ、周囲の者のきびしい監視の目をくらまし、やっとのことで密会を遂げるような緊張した情念を伴ってこそ、男女関係の逢瀬の喜びや恋のあわれが深まるという。それを馴れそめから親・兄弟に承認され、公然と女を迎えとって同棲するような関係のもとでは、性的な関係にまつわる情緒の機微は消滅し、かえって性が本能の営みと化しやすいため、心ある者はそうしたことに照れくささを覚えるに違いないと述べる。

この段の叙述が、歌枕の名歌をふまえた美文によって起筆されたのは、『伊勢物語』や『源氏物語』に見るような王朝の色好みを、言葉に触発された想像力世界のうちによみがえらせ、まさに自己の現在の体験として「昔(むかし)男」もしくは「光源氏」の色好みを生きる時の「心の色」を表現するためであったと考えられる。海と山を対置する一般的な構想に従って「しのぶの浦」と「くらぶの山」という架空性の濃い歌枕の地名をとり用い、浦には蜑（あま）を、山には山守りを配したのは、単なる擬古文の試みと見るべきではなく、歌題として親しんできた「忍ぶ恋」の主題を散文形式にのせて表現するための工夫によるものである。

功利的な結婚　女が生活のために男を頼り、仲人の口ききで財産目あての結婚をすることはそう珍しいことではない。生活上の理由から、都人（みやこびと）としての誇りを捨てて、金持でありさえすれば、相手の男がたとえ年不相応な「老法師」であったとしても、または、都人の蔑視する「あやしの吾妻人（素姓のいやしい関東の田舎者）」であっても、仲人のとりもちに身をまかせてしまう間柄を、兼好は「まことに何とも味気ないことだろう」と批評する。ここにいう「老法師」は、おそらく在家生活を営む剃髪者を指し、所領の経営を息子にまかせきることができる年齢を迎え、法体に姿を変えて上京し、都に居を構えて地方の物産と都市の生産物との交易を仲介するような仕事を手がけて富を築き上げた者を指し、「あやしの吾妻人」とは、京都大番役等を勤めるために在京している東国豪族の子弟を意味していたと考えられる。いずれにせよ、第百四十一段の悲田院の堯蓮上人の証言によれば、都の人の生活が全般に貧しく不如意であるのに比し、東国人の生活は裕福であったらしい。京都育ちの女性が、そうした田舎者の財力に心をひかれ、彼等の気風や習俗に十分な理解を持たないままに婚を通じたとしても、心の交流は得られないに違いない。兼好は、そうした夫婦に対し「どういう話題を語らいの糸口にしようとするのだろうか」と疑問を投げかける。そして、第三節の冒頭で「第三者がお膳立てしてまとめたような結婚は、何ともしっくりいかないことが多いに違いない」と結論づける。そうなる基本的理由は、媒酌結婚の場合、どうしても相手を醒めた心で比較考量する世俗的な分別を免れ得ないからであろう。兼好はそうした心理をつぎのように説く。「媒酌で迎えた妻が、身分のある女であるならば、それにつけて、女より身分が低く、顔もみにくく、年もとっている男は、こんな素姓の卑しい自分のために、なんでむざむざと一生を棒にふることをしたのだろうかと、その女も思いのほかにくだらなく感ぜられ、男自身は、そうした立派な女と対座しているのも、わが身が恥ずかしく感ぜられるであろう」。

恋の想い出を共有する夫婦　第百九十段で「たとえ魅力ある女であるとしても、朝夕顔を合わせて生活を共にする時には、気にくわなくいやにもなっていくだろう」と述べている。恋愛結婚で結ばれた仲であったとしても、生活の労苦を重ねてゆく時には、女の魅力に対する新鮮な感受性も鈍くなり、日常性の瑣事が男と女の関係を風化させてしまうものである。その時、夫婦が失われてゆく関係に耐え得るのは、そもそもの出会いの始めに持った共有体験としての恋の想い出が身に残っているからである。恋の情熱にみちびかれるままに無理をして女のもとに通った想い出や、二人だけが共有する忘れがたい想い出の数々を、ふとした折に話題にのぼせ、二人してしみじみと語り合ったとしたら、生活の塵労にまぎれてすごす日常性の合間に愛の絆を新たにする結果をもたらすに違いないと兼好は考えたようである。結婚生活は所詮男女関係を風化させないではおかないであろうが、そうした「浅からずあはれと思ふふしぶしの、忘れがたきこと」や、

『分けこし葉山の（二人でのり越えてきた恋路のさわりの多さ）』など」を思い出として語り合える条件を持っている恋愛結婚であるならば、そこに一つの救いがあるというわけである。

理想の男女関係　一つの経験が成り立つためには、事実を迎え入れる想像力の働きかけが必要である。経験の輪郭や内容は、対象による規定よりもはるかに主体の側の想像力のありように規定されるものである。特に恋愛経験における異性の濃密な存在感は、お互いに相手を求め合う愛の充溢感のなかでのみ感得できるものであり、恋人としての魅力は、愛の情念に支えられた熱い視線にのみ映るものである。そのように恋の経験は、ことさらに当事者の想像力によって輪郭を与えられるものであるとするなら、恋の様相は経験を受け容れる側の想念のあり方に規定されることになる。第百三十七段で「男女の情けも、ひとへに逢ひ見るをばいふものかは」と述べ、「遠き雲井を思ひ」やる想像力の恋や「浅茅が宿に昔を偲ぶ」思い出の恋にひたる行為に「色好み」の精神の真髄を見出したのは、男女関係の理想を「心の色」に見る本段の恋愛観と共通するものがある。そして男女間の恋愛感情を新鮮に保つためには、女性を妻の座に据え生活を共にすることはマイナスでしかない。兼好が理想とした男女関係は、結局は結婚生活にはなかったのである。性的関係における精神の可能性を開いておくためには、別々に生活を営む男女が情念の高まりにうながされて、「よそながら時々通ひ住」む（百九十段）ことの方が、理想の関係なのである。本段の第四節で、『伊勢物語』や『源氏物語』に描かれているような恋の情景に想いを馳せ、物語の世界にわが身をひたらせることによって得られる恋の思い出を重視するのは、兼好が恋愛の本質を想像力の働きに見たからである。作者が、『徒然草』の終りに近い段で再び恋愛問題を取り上げたのは、「命を終ふる大事」を目前にした作者が、自らの青春の思い出を言葉に封じこむことによって、老年の課題に立ち向かう覚悟を確認したかったからではなかろうか。

第二百四十三段　仏は如何なるものにか候ふらん

八つになりし年、父に問ひていはく、「仏は如何なるものにか候ふらん」といふ。父がいはく、「仏には人の成りたるなり」と。また問ふ、「人は何として仏には成り候ふやらん」と。父また、「仏のをしへによりて成るなり」と答ふ。また問ふ、「教へ候ひける仏をば、なにが教へ候ひける」と。また答ふ、「それもまた、先の仏の教へによりて成り給ふなり」と。また問ふ、「その教へはじめ候ひける第一の仏は、いかなる仏にか候ひける」といふ時、父、「空よりや降りけん、土よりや湧きけん」といひて、笑ふ。

「問ひつめられて、え答へずなり侍りつ」と、諸人にかたりて興じき。

心にうつりゆくよしなし事　宮内三二郎氏は本段についてつぎのような思いを語る。

私は本段を読むたびごとに、長年月に亘って書き継いできた、それ自体彼の心の遍歴の記録でもある徒然草の筆を擱くに当って、遠く彼方に過ぎ去った幼いころの自分自身と、その自分をいつくしんでくれた父親の姿を、なつかしくふりかえっている老境の作者の茫々然とした面持ちを、心に思い描くのである（『徒然草講座』第三巻）。

「そこはかとなく書き」ついできた随想に一応のしめくくりを与えるために、この前段では欲望にふりまわされて生きる人間の姿をつぎのように記す。

> 楽欲（げうよく）する所（願い欲する対象）、一つには名（名誉）なり。名に二種あり。行跡（かうせき）と才芸との誉れなり。二つには色欲、三つには味はひ（食欲）なり。よろづの願ひ、この三つにはしかず。これ顚倒（てんだう）の想よりおこりて、若干（そこばく）のわづらひあり。求めざらんにはしかじ。

こうした抽象的な言葉の背後には、「彼の心の遍歴」と現実社会の経験的な事例の数々が想起されていたに違いない。修徳も、修学も、修行も、名声を願い、栄誉を求める情熱を原動力とするものであるなら、その徳行や学問や芸能は、本当に人の心をとらえるものとなるはずがなく、また、権力や財力をたのんで女性をもてあそぶ色欲的行為が、人に心からの充足をもたらすはずもない。兼好は社会の上層階級の人達とたちまじわって、世をむさぼり、奢りをきわめるためにしのぎをけずる人間、名誉を求め、評判を競って人と張りあう人間の営みに言い知れぬ空しさを覚えたと思われる。人間の生涯を「如幻の生」と観じたのは、生そのものを「幻」と見たのではなく、生の拠り所を地位や権威といったものに求める生き方を「幻」と観じたに過ぎない。兼好が『徒然草』に一応の区切りを与えるに際し、そうした妄想に覆われた生の相貌を対象化した時、己れの境涯もまた「妄心迷乱」の生涯と映ったのではなかろうか。そして、この世に生をうけ、〝仏の教へ給ふおもむき〟にめぐり会うことによって、「妄心迷乱」の生を自覚し得たという体験に思いをひそめると、自分にとって仏とは何であったかという問題が兼好の脳裡をかすめたに違いない。合理的推論によっては解決し得ない発問を、幼い日の想い出として語ったこの文章は、単純な回想談として見すごすことはできない。

仏道の根拠　仏の教えが仏道であるとするなら、仏道を説いた「仏とは一体どのようなものですか」といった質問が出ても不思議ではない。『徒然草』の場合は、八歳の幼童に問いつめられた父の困惑ぶりを語る素朴な話題としてふれているが、「仏は如何なるもの」か、「人は何として仏に」なることができるのか、といった問題は、鎌倉新仏教の祖師達も、等しく真剣にとりくんだ課題であった。「仏は如何なるもの」かという疑問に答えるための解答としては、既に天台教学の三身説が一般化しており、兼好の父もそのような知識は持っていたに違いないが、八歳の幼童への答えにそのような教説を持ちだすのをはばかり、ただ「仏には人がなったのだ」と答えておいたにすぎない。そこをすかさず「人は、どのようにして、仏になったんですか」と畳みかけ、さらにそれに対する父の答えに質問を向けるという問題提起の鋭さに、父親は閉口しながらも、わが子の才質に親馬鹿的なうれしさを覚えさせられたというわけである。そんなことを父親は人々に語り聞かせて面白がったというが、この話題は兼好八歳当時の記憶というよりは、成人してからも聞かされた話だったのではなかろうか。そして自分もまたその当時の父の年齢を過ぎていながら、仏について答えられない己れを自覚し、仏から限りなく遠い場所にたたずんでいることを見つめないわけにはいかなかったに違いない。

自らの思量を超えるもの

『徒然草』の最後が「問ひつめられて、え答へずなり侍りつ」という父の言葉を借りて結ばれたということは、『徒然草』文学の質を考える際興味深いものがある。その時、ふと連想することは『方丈記』の結びである。

　しづかなる暁、このことわりを思ひつづけて、みづから心に問ひていはく、世を遁れて、山林にまじはるは、心を修めて道を行はむとなり。しかるを、汝、すがたは聖人にて、心は濁りに染めり。栖はすなはち、浄名居士の跡をけがせりといへども、保つところは、わづかに周利槃特が行にだに及ばず、もしこれ、貧賤の報のみづからなやますか、はたまた、妄心のいたりて狂せるか。そのとき、心さらに答ふる事なし。ただ、かたはらに舌根をやとひて、不請の阿弥陀仏、両三遍申してやみぬ。

あくまでも自己の境界に即して「人と栖」の無常を語った『方丈記』と、自己の経験を語ることの少ない『徒然草』との違いが、この結びにもうかがえて興味をひくが、『方丈記』の自問自答の形式が、父との問答形式に移し変えられ、ともに仏道と己れとのかかわりを主題とし、そしてともに自らの思量の及ばない領域を予感して、口をつぐむ形をとったのは偶然の暗合とは言えないように思う。先入見に毒されない八歳の幼童の口を借りて仏の存在を問いつめ、ついに答えられなくなってしまった父を語るのと、六十を迎えようとする老境にあって、自己の存在意味を問いつめ、全く答えることのできない自己を語るのとではその内容を異にするが、ともに思量を超えた沈黙の世界を暗示している点では共通する。「所願皆妄想なり」（二百四十一段）と観じてしまった兼好にとって、人間本位の期待や理想の幻影に隈どられた世界の相貌ほどあやふやなものはなかった。人間の認識を超えた〝事実〟の世界に目を開き、なま身の体をもって〝ただ今〟〝この場所〟にまさに生きてあることを見つめた兼好には、仏性といった超越的な理念や極楽浄土といった神秘的な幻想にのめりこむようなことはあり得なかった。幼にして仏への関心を示し、長じて後は、自覚的に仏道を志向してきた兼好が、この段のような一見たわいもない問答で筆をおさめたということは、兼好にとっての仏道が何であったかという問題を投げかけてくるのである。

参考文献

▼テキスト

永積安明『校註徒然草』〈改訂版〉（昭30、武蔵野書院）
福田秀一・桑原博史『常縁本徒然草』（昭43、大修館書店）
三木紀人『徒然草』〈校注古典叢書〉（昭44、明治書院）
桑原博史編『徒然草』上・下—烏丸光広本—（昭46、新典社）
吉田幸一・大西善明編『徒然草』上・下—正徹本—（昭47、笠間書院）
鈴木知太郎・西一祥『新注徒然草』（昭49、桜楓社）

▼注釈書

橘　純一『徒然草』〈日本古典全書〉（昭22、朝日新聞社）
川瀬一馬『徒然草』〈新註国文学叢書〉（昭25、講談社）
橘　純一『評注徒然草新講』（昭26、武蔵野書院）
塚本哲三『詳解対訳徒然草』（昭26、有朋堂）
佐々木八郎『現代語訳 徒然草』〈現代語訳 日本古典文学全集〉（昭29、河出書房）
白石大二『徒然草』〈評釈国文学大系〉（昭30、河出書房）
冨倉徳次郎『類纂評釈 徒然草』（昭31、開文社）
佐成謙太郎『徒然草全講』（昭32、明治書院）
西尾　実『方丈記・徒然草』〈日本古典文学大系〉（昭32、岩波書店）
松尾　聰『精解徒然草』（昭33、清水書院）
田辺　爵『徒然草諸註集成』（昭37、右文書院）
三谷栄一・峯村文人編『徒然草解釈大成』（昭41、岩崎書店）
安良岡康作『徒然草全注釈』上・下（昭42・43、角川書店）
覆刻版『徒然草諸抄大成』〈国文註釈全書〉（昭43、すみや書房）
臼井吉見『方丈記・徒然草・一言芳談集』〈日本の思想〉（昭45、筑摩書房）
木藤才蔵『徒然草』〈新潮日本古典集成〉（昭52、新潮社）

▼研究書

冨倉徳次郎『兼好法師研究』（昭22、丁字屋書店）
永積安明「方丈記と徒然草」〈『岩波講座 日本文学史』第四巻〉（昭33、岩波書店）
冨倉徳次郎『卜部兼好』〈人物叢書〉（昭39、吉川弘文館）
西尾　実『つれづれ草文学の世界』（昭39、法政大学出版局）
高乗　勲『徒然草の研究』（昭43、自治日報社）
風巻景次郎『西行と兼好』（昭44、角川書店）
藤原正義『兼好とその周辺』（昭45、桜楓社）
武石彰夫『徒然草の仏教圏』（昭46、桜楓社）
白石大二『徒然草と兼好』（昭48、帝国地方行政学会）
中川徳之助『兼好の人と思想』（昭50、古川書房）
桑原博史『徒然草研究序説』（昭51、明治書院）
上田三四二『俗と無常——徒然草の世界』（昭51、講談社）
桑原博史『徒然草の鑑賞と批評』（昭52、明治書院）
宮内三二郎『とはずがたり 徒然草 増鏡 新見』（昭53、明治書院）

▼講座・その他

時枝誠記『徒然草総索引』（昭30、至文堂）
斎藤清衛『枕草子・徒然草』〈国語国文学研究史大成〉（昭35、三省堂）
冨倉徳次郎『徒然草・方丈記』〈古典鑑賞講座〉（昭35、角川書店）
市古貞次『諸説一覧 徒然草』（昭45、明治書院）
佐々木克衛編『方丈記・徒然草』（昭46、有精堂）
有精堂編集部『徒然草講座』第一巻「兼好とその時代」、第二巻「徒然草とその鑑賞1」、第三巻「徒然草とその鑑賞2」、第四巻「言語・源泉・影響」（昭49、有精堂）
冨倉徳次郎・貴志正造編『方丈記・徒然草』〈鑑賞日本古典文学〉（昭50、角川書店）
三谷栄一編『徒然草事典』（昭52、有精堂）

▼文庫本

西尾　実『徒然草』（昭3、岩波文庫）
保坂弘司『徒然草』（昭26、学燈文庫）
今泉忠義『徒然草』（昭27、角川文庫）
岩井良雄『つれづれ草』（昭27、研究社学生文庫）
武者小路実篤『徒然草私感』（昭42、現代教養文庫）
安良岡康作『現代語訳対照 徒然草』（昭46、旺文社文庫）
川瀬一馬『徒然草』（昭46、講談社文庫）

●著者紹介●

伊藤博之（いとうひろゆき）

1926年東京に生まれる。1948年東京大学文学部卒業。現在，成城大学文芸学部教授。中世文学専攻。
主著・主論文——『隠遁の文学』（笠間選書37），『中世の隠者文学』（シンポジウム日本文学6），「芭蕉における詩の方法」（『文学』1967・3），「歎異抄の文体の成立」（『成城国文学論集』第二輯），「生活者の意識をとらえた蓮如の文体」（『国語と国文学』1973・4）ほか。

有斐閣新書　　徒然草入門

1978年9月20日　初版第1刷印刷
1978年9月30日　初版第1刷発行 ©

著　者　伊　藤　博　之

発行者　江　草　忠　允

発行所　株式会社 有　斐　閣　〒101 東京都千代田区神田神保町 2-17
電話 (03) 264-1311　振替 東京 6-370
京都支店〔606〕左京区田中門前町44

落丁本・乱丁本はお取替えいたします　　理想社印刷・和田製本

★定価はカバーに表示してあります

《有斐閣新書》の刊行に際して

今日ほど教育の問題が関心を集めた時代がかつてあったでしょうか。戦後の教育改革からすでに三十年、昨今の高校・大学進学率ひとつをとってみても、そのはげしい変化には驚くべきものがあります。これらの変化は高度経済成長がもたらした「消費革命」とはまったく質を異にする新しい時代の到来を感じさせます。それは一種の「意識革命」というべきものかも知れません。このような時代のなかで、きわめて多数の人びとが、主体的にあるいは創造的に「学び」かつ「知る」という欲求を強くもちはじめています。大学をはじめとするさまざまな学校、市民生活の場としての地域や職場で多種多様な講座がもたれるようになりました。現代が「開かれた大学の時代」とか「生涯教育の時代」とよばれるゆえんであります。

小社は、これまで《有斐閣双書》《有斐閣選書》をはじめとする出版活動をとおして、社会科学・人文科学の諸分野にわたる専門知識を広く社会に提供する努力をつづけてまいりましたが、このたび「専門知識を万人に」の願いをこめて、新しい時代にふさわしい出版企画《有斐閣新書》を、創業百周年記念出版のひとつとして発足させることにいたしました。

《有斐閣新書》は、現代人の多様な知的欲求に応えようとするものであり、小社が永年培ってきた学術出版の伝統を生かした新しいタイプの基本図書であります。この点で、本新書は、これまでの一般教養向きの新書とはまったく性格の異なる出版企画であり、現代における学術知識の普及への新しい使命をになうものと言えましょう。

《有斐閣新書》は、新書判というハンディな判型の中で最新の学問成果を平明に解説し、必要にして十分な内容を収めるとともに、古典の再発見に努めるなど、現代に生きるすべての人びとにとって、学問の扉をひらく際のよきガイドブックとなることを意図しております。読者のみなさまの一層のご支援をお願いしてやみません。

(昭和五十一年十一月)

徒然草入門（オンデマンド版）

2004年1月20日　発行

著　者　　伊藤　博之
発行者　　江草　忠敬
発行所　　株式会社 有斐閣
〒101-0051　東京都千代田区神田神保町2-17
TEL 03(3264)1315（編集）　03(3265)6811（営業）
URL http://www.yuhikaku.co.jp/

印刷・製本　　株式会社　デジタルパブリッシングサービス
URL http://www.d-pub.co.jp/

AB457

ISBN4-641-90360-3　　Printed in Japan